DA TERRA À LUA

Trajeto direto em 97 horas

JÚLIO VERNE

Trajeto direto em 97 horas

Tradução

Frank de Oliveira

Esta é uma publicação Principis, selo exclusivo da Ciranda Cultural

Traduzido do original em francês
De la Terre à la Lune

Texto
Júlio Verne

Tradução
Frank de Oliveira

Preparação
Flávia Yacubian

Revisão
Eliel Cunha

Produção editorial e projeto gráfico
Ciranda Cultural

Imagens
Mott Jordan/Shutterstock.com;
donatas1205/Shutterstock.com;
Theus/Shutterstock.com

Dados Internacionais de Catalogação na Publicação (CIP) de acordo com ISBD

V531d Verne, Júlio
Da Terra à Lua / Júlio Verne ; traduzido por Frank de Oliveira. - Jandira, SP : Principis, 2020.
192 p. ; 15,5cm x 22,6cm. - (Literatura Clássica Mundial)

Tradução de: De la Terre à la Lune
Inclui índice.
ISBN: 978-65-5552-173-3

1. Literatura infantojuvenil. 2. Ficção. I. Oliveira, Frank de. II. Título. III. Série.

CDD 028.5
2020-2413 CDU 82-93

Elaborado por Vagner Rodolfo da Silva - CRB-8/9410

Índice para catálogo sistemático:
1. Literatura infantojuvenil 028.5
2. Literatura infantojuvenil 82-93

1ª edição em 2020
www.cirandacultural.com.br

SUMÁRIO

O Clube do Canhão

Durante a Guerra de Secessão dos Estados Unidos, um novo clube, muito influente, foi fundado na cidade de Baltimore, Maryland. Bem se sabe com que energia o instinto militar se desenvolveu no seio desse povo de armadores, comerciantes e industriais. De simples balconistas, improvisaram-se capitães, coronéis e generais, sem passar pela escola militar de West-Point; não tardaram a igualar, na "arte da guerra", seus colegas do Velho Continente e, como estes, obtiveram vitórias à força de prodigalizar balas, dólares e homens.

Mas se em algo os americanos superaram notoriamente os europeus foi na ciência da balística. Não que suas armas atingissem um grau mais elevado de perfeição: apenas tinham dimensões inusitadas e, consequentemente, alcances desconhecidos até então. Em matéria de tiros rasantes, parabólicos, frontais, transversais, sucessivos ou de revés, ingleses, franceses e prussianos já nada têm a aprender; mas seus canhões, obuses e morteiros não passam de pistolas de bolso em comparação com os formidáveis engenhos da artilharia americana.

Mas que ninguém se espante. Os ianques, esses primeiros mecânicos do mundo, são engenheiros, como os italianos são músicos e os alemães, metafísicos: nascem assim. Nada mais natural, então, que apliquem à ciência da balística sua audaciosa engenhosidade. Daí esses canhões gigantescos, bem menos úteis que as máquinas de costura, mas igualmente espantosos e ainda mais admirados. Conhecem-se, nessa área, as maravilhas de Parrott, de Dahlgren, de Rodman. Os Armstrong, os Pallisser e os Treuille de Beaulieu foram obrigados a se inclinar diante de seus rivais de além-mar.

Portanto, durante a terrível luta entre nortistas e sulistas, os artilheiros foram a cereja do bolo; os jornais da União celebravam seus inventos com entusiasmo e não havia pequeno comerciante, não havia *booby* (ignorante) ingênuo que não quebrasse a cabeça, dia e noite, calculando trajetórias malucas.

Ora, quando um americano tem uma ideia, procura logo outro americano com quem partilhá-la. Quando chegam a três, elegem um presidente e dois secretários. Se já são quatro, nomeiam um arquivista e a sociedade passa a funcionar. Cinco? Convocam uma assembleia geral e o clube está fundado. Foi o que aconteceu em Baltimore. O primeiro que inventou um canhão se associou ao primeiro que o fundiu e ao primeiro que o forjou. Nasceu assim o Gun Club, o Clube do Canhão. Um mês depois, contava com 1.833 membros efetivos e 30.575 membros correspondentes.

Condição *sine qua non* imposta a toda pessoa que quisesse entrar para o clube: ela devia ter projetado ou, pelo menos, aperfeiçoado um canhão (à falta de canhão, qualquer arma de fogo servia). Mas, convém dizer a verdade, os inventores de revólveres de quinze tiros, de carabinas giratórias ou de sabres-pistolas não gozavam de grande consideração. Quem tinha a primazia eram sempre os artilheiros.

“A estima que angariam”, disse certa vez um dos oradores mais sábios do Gun Club, “é proporcional às massas de seu canhão e está na razão direta do quadrado das distâncias alcançadas por seus projéteis!”

Mais um pouco e a lei da gravitação universal de Newton seria transposta para a ordem moral.

Fundado o Gun Club, adivinha-se com facilidade o que o gênio inventivo dos americanos produziu nesse gênero. Os engenhos de guerra assumiram proporções colossais, e os projéteis iam, para além dos limites permitidos, cortar em dois os transeuntes inofensivos. Todas essas invenções deixavam bem para trás os tímidos instrumentos da artilharia europeia. Basta lançar os olhos para as estatísticas seguintes.

Outrora, "nos bons tempos", uma bala de 36 milímetros atravessava, a uma distância de 90 metros, 36 cavalos de lado e 68 homens. Era a infância da arte. Desde então, os projéteis evoluíram muito. O canhão Rodman, que arremessava a mais de 11 quilômetros uma bala de 500 quilos, teria derrubado facilmente 150 cavalos e 300 homens. Chegou-se mesmo a discutir, no Gun Club, a possibilidade de um teste oficial. Mas, se os cavalos nada disseram contra a experiência, os homens infelizmente não aceitaram participar.

Como quer que seja, o efeito desses canhões era mortífero e, a cada descarga, os combatentes tombavam como espigas sob a foice. Significariam alguma coisa, em comparação com tais projéteis, a famosa bala que, em Coutras, em 1587, pôs 25 homens fora de combate, aquela que, em Zorndoff, em 1758, matou 40 cavaleiros ou o canhão austríaco de Kesselsdorf que, em 1742, lançava por terra, a cada disparo, 70 inimigos? Seriam mesmo surpreendentes as bocas de fogo de Iena ou Austerlitz, que decidiam a sorte das batalhas? Outras bem diferentes se viram durante a Guerra de Secessão! No combate de Gettysburg, um projétil cônico, lançado por um canhão raiado, atingiu nada menos que 173 sulistas; e, na passagem do Potomac, uma bala Rodman mandou 215 confederados para um mundo evidentemente melhor. Convém mencionar ainda um formidável morteiro concebido por J.-T. Maston, membro distinto e secretário perpétuo do Gun Club, cujo resultado foi mortífero às avessas, pois, no teste, matou 337 pessoas – ao explodir! É verdade!

Cabe acrescentar mais alguma coisa a esses números que falam por si mesmos? Nada. Por isso, temos de admitir sem contestação o cálculo seguinte, feito pelo estatístico Pitcairn: dividindo-se o número de vítimas das balas pelo dos membros do Gun Club, conclui-se que cada um destes matou por sua própria conta uma "média" de 2.375 homens e uma fração.

Diante dessas cifras, torna-se evidente que a única preocupação de uma sociedade tão sábia era o fim da humanidade com objetivo filantrópico, sendo os aperfeiçoamentos das armas de guerra considerados veículos civilizatórios.

Era uma legião de Anjos Exterminadores – de resto, tidos como as melhores pessoas do mundo.

Convém acrescentar que esses ianques, bravos a não poder mais, iam além das fórmulas e procuravam concretizá-las. Viam-se entre eles oficiais das mais variadas patentes – tenentes, generais, militares de todas as idades, aqueles que se iniciavam na carreira das armas e aqueles que nela haviam envelhecido. Muitos, tombados no campo de batalha, tiveram seus nomes incluídos no livro de honra do Gun Club; e os que voltaram trouxeram as marcas da coragem indiscutível. Muletas, pernas de pau, mãos e braços mecânicos, mandíbulas de borracha, crânios de prata, narizes de platina... não faltava nada à coleção. O já citado Pitcairn chegou mesmo a calcular que, no Gun Club, havia no máximo um braço para quatro pessoas e apenas duas pernas para seis.

Mas esses valentes artilheiros não ligavam para tais ninharias e se sentiam justificadamente orgulhosos quando o boletim de uma batalha mostrava um número de vítimas dez vezes maior que a quantidade de projéteis disparados.

Um belo dia, porém – dia triste, lamentável –, a paz foi assinada pelos sobreviventes da guerra. As detonações cessaram pouco a pouco, os morteiros silenciaram, os obuses foram amordaçados por tempo indeterminado, os canhões reentraram de cabeça baixa nos arsenais, as balas se amontoaram nos depósitos de munições, as lembranças sangrentas se diluíram, os algodoeiros cresceram magnificamente nos campos muito bem adubados, as roupas de luto sumiram juntamente com as dores e o Gun Club mergulhou numa apatia profunda.

É verdade que alguns teimosos, trabalhadores encarniçados, continuaram fazendo cálculos de balística e sonhando com bombas gigantescas, obuses incomparáveis... Mas, sem a prática, de que vale a teoria? Assim, as salas ficavam desertas, os criados dormiam nas antecâmaras, os jornais emboloravam nas mesas, os cantos obscuros ecoavam gemidos tristonhos e os membros do Gun Club, outrora tão falantes, agora reduzidos ao silêncio por uma paz desastrosa, deixavam-se embalar pelos devaneios da artilharia platônica!

– É desolador – suspirou um dia o bravo Tom Hunter, enquanto suas pernas de pau se cobriam de fuligem diante da lareira da sala dos fumantes. – Nada a fazer! Nada a esperar! Que existência monótona! Onde estão os tempos em que o canhão nos acordava todas as manhãs com suas alegres detonações?

– Esses tempos se foram – respondeu o corajoso Bilsby, tentando estirar os braços que já não tinha. – Aquilo, sim, era prazer! Inventávamos nosso obus e, mal ele era fundido, corríamos a experimentá-lo contra o inimigo! Depois, regressávamos ao acampamento, onde éramos recebidos com um incentivo de Sherman ou um aperto de mão de MacClellan! E hoje? Os generais voltaram para suas lojas e, em vez de projéteis, vendem fardos de algodão! Ah, por Santa Bárbara, a artilharia não tem mais futuro na América!

– Sim, Bilsby – lamentou o coronel Blomsberry –, são cruéis decepções! Deixamos nossos hábitos tranquilos, treinamos o manejo das armas, saímos de Baltimore para os campos de batalha, tornamo-nos heróis; e dois, três anos mais tarde tivemos de renunciar ao fruto de tantas fadigas, adormecer numa deplorável ociosidade e ficar de mãos nos bolsos.

Mas, dissesse o que dissesse, o bravo coronel não poderia falar em bolsos para exemplificar sua inatividade, pois não eram bolsos que lhe faltavam.

– E nenhuma guerra em perspectiva! – disse então o famoso J.-T. Maston, coçando com seu gancho de ferro o crânio de guta-percha. – Nenhuma nuvem no horizonte justamente quando há tanto a fazer na ciência da artilharia! Eu mesmo, esta manhã, terminei um desenho, com plano, perfil e elevação, de um morteiro fadado a alterar completamente as leis da guerra!

– Verdade? – interessou-se Tom Hunter, pensando involuntariamente no último teste do honrado J.-T. Maston.

– Verdade – respondeu este. – Mas de que servirão tantos estudos levados a bom termo, tantas dificuldades vencidas? Não será isso trabalhar inutilmente? Os povos do Novo Mundo parecem ter decidido viver em paz, e nosso belicoso *Tribune*[1] chegou a prognosticar catástrofes iminentes devidas ao aumento escandaloso das populações!

– E, enquanto isso, Maston – prosseguiu o coronel Blomsberry –, na Europa estão lutando para defender o princípio das nacionalidades!

– E daí?

– Daí que, talvez, possamos tentar alguma coisa por lá, caso solicitem nossos serviços...

– Como assim? – alterou-se Bilsby. – Fazer balística em proveito de estrangeiros?

– Melhor que não fazer nada – replicou o coronel.

– Sem dúvida – concordou J.-T. Maston –, é melhor. Mas nem vale a pena pensar nisso.

– Por quê? – perguntou o coronel.

– Porque, no Velho Mundo, eles têm ideias sobre o progresso que contrariam nossos hábitos americanos. Não aceitam que alguém possa

1 O mais combativo jornal abolicionista da União. (N.O.)

se tornar general sem ter sido subtenente, o que equivale a dizer que um bom artilheiro precisa fundir, ele mesmo, o canhão! Ora, isso é simplesmente...

– Absurdo! – bradou Tom Hunter, rasgando o braço de sua poltrona a golpes de *bowie-knife*[2]. – E do jeito que vão as coisas, só nos resta plantar tabaco ou purificar óleo de baleia!

– Mas, então – gritou J.-T. Maston com voz retumbante –, passaremos os últimos anos de nossas vidas sem aperfeiçoar armas de fogo? Não teremos mais a oportunidade de testar o alcance de nossos projéteis? A atmosfera não voltará a se iluminar com o clarão de nossos canhões? Não surgirá uma dificuldade internacional que nos permita declarar guerra a alguma potência transatlântica? Os franceses não afundarão pelo menos um de nossos vapores, e os ingleses não enforcarão, contrariando os direitos humanos, três ou quatro conterrâneos nossos?

– Não, Maston, essa felicidade não teremos! – respondeu o coronel Blomsberry. – Não ocorrerá nenhum desses incidentes e, mesmo que ocorresse, não saberíamos aproveitá-lo. A suscetibilidade americana vai desaparecendo a olhos vistos e nós vamos nos encolhendo!

– Sim, nós nos humilhamos! – rugiu Bilsby.

– E somos humilhados! – acrescentou Tom Hunter.

– Nunca vi verdade tão sólida – disse J.-T. Maston, com mais veemência ainda. – Há por aí milhares de razões para combatermos e não combatemos! Economizamos braços e pernas em proveito de gente que não sabe o que fazer deles! E, sem precisar ir mais longe para encontrar um motivo de guerra, a América do Norte já não pertenceu aos ingleses?

– Já – rosnou Tom Hunter, atiçando raivosamente as brasas da lareira com a ponta de sua muleta.

– Aí está! – continuou J.-T. Maston. – Por que então a Inglaterra não pode agora pertencer aos americanos?

---

2 Canivete de lâmina larga. (N.O.)

– Seria muito justo – disse o coronel Blomsberry.

– Mas tentem propor isso ao presidente dos Estados Unidos! – desdenhou J.-T. Maston. – Verão como ele os receberá!

– Receberá mal – murmurou Bilsby entre os quatro dentes que sobraram do combate.

– Por minha fé! – ameaçou J.-T. Maston. – Nas próximas eleições, que ele não conte com meu voto!

– E que não conte também com os nossos – replicaram em coro aqueles belicosos inválidos.

– Enquanto isso – prosseguiu J.-T. Maston –, e para concluir, se não me dão a oportunidade de testar meu novo morteiro num verdadeiro campo de batalha, demito-me do Gun Club e corro a me enterrar nas savanas do Arkansas!

– Nós o seguiremos – garantiram veementemente os interlocutores do audacioso J.- T. Maston.

Estavam nisso as coisas, com os espíritos se exaltando cada vez mais e o clube sob ameaça de dissolução próxima, quando um acontecimento inesperado acabou por impedir essa indesejável catástrofe.

Logo no dia seguinte à conversa que transcrevemos acima, cada membro do clube recebeu uma circular nestes termos:

Baltimore, 3 de outubro.

O presidente do Gun Club tem a honra de informar seus colegas de que na sessão do dia 5 do corrente mês lhes fará um comunicado de seu maior interesse. Em consequência, pede-lhes que suspendam quaisquer outros compromissos e atendam ao convite feito na presente.

Cordialmente,

Impey Barbicane, presidente do Gun Club

Comunicação do presidente Barbicane

No dia 5 de outubro, às oito horas da noite, uma multidão compacta se espremia nos salões do Gun Club, Union-Square, número 21. Todos os membros do círculo que residiam em Baltimore haviam aceitado o convite do senhor Barbicane. Quanto aos membros correspondentes, os trens os desembarcavam às centenas nas ruas da cidade e, por maior que fosse o salão nobre, essa massa de cientistas não pudera encontrar lugar; por isso, inundava as salas vizinhas, os fundos dos corredores e até os pátios externos. Ali, esbarrava com os simples populares, que se comprimiam nas portas, cada qual querendo ganhar as fileiras da frente, todos ávidos por ouvir a importante comunicação do presidente Barbicane. Empurravam-se, atropelavam-se, esmagavam-se com aquela liberdade de ação típica das massas educadas nas ideias do "*self government*"[3].

---

3 Governo pessoal. (N.O.)

Naquela noite, um estranho que se achasse em Baltimore não teria conseguido, nem a peso de ouro, penetrar no salão, reservado exclusivamente aos membros residentes ou correspondentes. Ninguém mais poderia entrar, e os notáveis da cidade, os magistrados do conselho dos *selectmen*[4], tiveram de se misturar à multidão de seus administrados para ficar sabendo do que se passava lá dentro.

O imenso salão oferecia aos olhares um curioso espetáculo. O vasto recinto era maravilhosamente apropriado a seu objetivo. Colunas altas, formadas de canhões superpostos aos quais grossos morteiros serviam de base, sustentavam as elegantes estruturas da abóbada, verdadeiros rendilhados de ferro fundido. Panóplias de bacamartes, arcabuzes, carabinas, de todas as armas de fogo antigas e modernas se entrelaçavam pitorescamente nas paredes. A luz do gás era furiosamente projetada por um milhar de revólveres agrupados em forma de lustres, enquanto girândolas de pistolas e candelabros feitos de fuzis reunidos em feixes completavam essa esplêndida iluminação. Os modelos de canhões, as amostras de bronze, os alvos crivados de balas, as placas amassadas pelos tiros do Gun Club, as coleções de tacos e lanadas, os rosários de bombas, os colares de projéteis, as guirlandas de obuses, em suma, todos os utensílios do artilheiro surpreendiam o olhar por sua impressionante disposição, dando a entender que sua verdadeira finalidade era mais decorativa que mortífera.

No lugar de honra, via-se, protegido por uma esplêndida vitrine, um fragmento de culatra, quebrado e retorcido pelo efeito da pólvora, precioso resquício do canhão de J.-T. Maston.

No fundo da sala, o presidente, assistido por quatro secretários, ocupava uma vasta plataforma. Sua cadeira, pousada numa base esculpida, mostrava no conjunto as formas poderosas de um morteiro de 80 centímetros, assestado num ângulo de 90 graus e suspenso em munhões:

---

4 Administradores da cidade eleitos pela população. (N.O.)

assim, o presidente podia imprimir-lhe, como a uma *rocking-chair*[5], um vaivém bastante agradável nos dias de muito calor. Sobre a mesa – vasta placa de metal sustentada por seis canos de canhão –, via-se um tinteiro elegante, feito de uma bala artisticamente cinzelada, e uma campainha de detonação que soava, quando tocada, como um revólver. No entanto, durante as discussões acaloradas, essa campainha de um novo tipo mal bastava para cobrir a voz daquela legião de artilheiros estrepitosos.

Diante da mesa, bancos dispostos em zigue-zague, como a linha de trincheiras, formavam uma sucessão de baluartes e anteparos onde tomavam assento os membros do Gun Club. Nessa noite, pode-se dizer, "as muralhas estavam guarnecidas". Todos conheciam muito bem o presidente para saber que ele não teria incomodado seus colegas sem um motivo sério.

Impey Barbicane era um homem de 40 anos, calmo, frio, austero, de um espírito eminentemente sério e concentrado, pontual como um cronômetro, dotado de temperamento firme a toda prova e de caráter inabalável. Pouco cavalheiresco, mas aventureiro e sempre aplicando ideias práticas a seus empreendimentos mais temerários, era o homem por excelência da Nova Inglaterra, o nortista colonizador, o descendente dos Cabeças Redondas tão funestos aos Stuart e o inimigo implacável dos fidalgos do Sul, esses antigos cavaleiros da mãe-pátria. Em uma palavra, um ianque fundido em um só bloco.

Barbicane tinha feito grande fortuna no comércio de madeira; nomeado diretor de artilharia durante a guerra, mostrou-se fértil em invenções; audacioso em ideias, contribuiu poderosamente para o progresso dessa arma e deu às pesquisas experimentais um impulso incomparável.

Ele era de estatura mediana e – coisa rara no Gun Club – tinha os membros intactos. As feições marcantes pareciam cuidadosamente traçadas a régua e compasso – e, se é verdade que, para adivinhar os instintos de um

5 Cadeiras de balanço em uso nos Estados Unidos. (N.O.)

homem, devemos olhá-lo de perfil, Barbicane, visto assim, ostentava os sinais mais inconfundíveis de energia, audácia e sangue-frio.

Agora, lá estava ele, imóvel em sua poltrona, mudo, absorto, o olhar perdido a distância, abrigado sob seu chapéu de copa alta, esse cilindro de seda preta que parece aparafusado na cabeça dos americanos.

Seus colegas, em volta, tagarelavam barulhentamente, sem distraí-lo; perguntavam, faziam suposições, observavam o presidente na vã tentativa de desvendar o mistério de sua fisionomia imperturbável.

Quando soaram oito horas no relógio trovejante do salão, Barbicane, como que acionado por uma mola, endireitou-se subitamente; fez-se silêncio geral, e o orador, em tom um tanto enfático, falou nestes termos:

– Bravos colegas, já faz tempo que uma paz infecunda mergulhou os membros do Gun Club numa ociosidade lamentável. Após uns poucos anos repletos de incidentes, foi preciso interromper nossos trabalhos e parar no meio do caminho do progresso. Não temo proclamar aos quatro ventos: toda guerra que nos pusesse de novo as armas na mão seria bem-vinda...

– Sim, a guerra! – bradou o impetuoso J.-T. Maston.

– Ouçam, ouçam! – gritaram de todos os lados.

– Mas a guerra – prosseguiu Barbicane – é impossível nas circunstâncias atuais. E, apesar das esperanças do honorável colega que me interrompeu, muitos anos se passarão antes de nossos canhões voltarem a troar num campo de batalha. É preciso, então, fazer alguma coisa e procurar em outra ordem de ideias um alimento para a atividade que nos devora!

A assembleia sentiu que seu presidente iria abordar um ponto delicado. Redobrou a atenção.

– Há alguns meses, meus bravos colegas – prosseguiu Barbicane –, perguntei-me se, dentro de nossa especialidade, nós não poderíamos empreender uma grande experiência digna do século XIX e se os progressos da balística não nos permitiriam levar essa experiência a bom termo. Então pesquisei, trabalhei, calculei... e de meus estudos resultou a convicção de que podemos ter êxito em um empreendimento que seria visto como impraticável em qualquer outro país. Esse projeto, longamente elaborado, será o tema de minha comunicação. É digno dos senhores, digno das tradições do Gun Club, e não deixará de fazer barulho pelo mundo todo!

– Bastante barulho? – quis saber um artilheiro apaixonado.

– Sim. E na verdadeira acepção da palavra – garantiu Barbicane.

– Não interrompam! – resmungaram várias vozes.

– Peço-lhes, pois, meus bravos colegas – disse Barbicane –, toda a sua atenção.

A assembleia estremeceu. Barbicane, ajeitando o chapéu com um gesto rápido, continuou com voz calma:

– Não há aqui ninguém, bravos colegas, que já não tenha visto a lua ou, pelo menos, ouvido falar dela. E não se espantem se venho entretê-los com o astro das noites. Talvez nos esteja reservado sermos os Colombos desse mundo desconhecido. Compreendam-me, ajudem-me com todas as suas forças e eu os conduzirei à sua conquista, acrescentando-o aos trinta e seis Estados que formam esta grande União!

– Viva a lua! – gritou o Gun Club a uma só voz.

– Já se estudou muito a lua – prosseguiu Barbicane. – Sua massa, sua densidade, seu peso, seu volume, sua constituição, seus movimentos, sua distância, sua função no sistema solar, tudo isso está perfeitamente determinado. Fizeram-se mapas selenográficos[6] com uma perfeição que iguala, se não supera, os terrestres. A fotografia deu, de nosso satélite, provas de uma incomparável beleza. Ou seja, sabemos da lua tudo que as ciências matemáticas, a astronomia, a geologia e a óptica podem ensinar. Mas, até hoje, não estabelecemos comunicação direta com ela.

6 Da palavra grega *selene*, que significa lua. (N.O.)

Um movimento incontido de interesse e surpresa acolheu essas palavras firmes.

– Permitam-me – continuou o presidente – lembrar-lhes de passagem que alguns espíritos ardorosos, empreendendo viagens imaginárias, pretenderam ter penetrado os segredos de nosso satélite. No século XVII, um certo David Fabricius se gabou de haver visto com seus próprios olhos os habitantes da lua. Em 1649, um francês, Jean Baudoin, publicou *Viagem ao mundo da lua feita por Dominguez González*, aventureiro espanhol. Pela mesma época, Cyrano de Bergerac escreveu sobre uma expedição que ficou célebre na França. Mais tarde, outro francês – essa gente se ocupa muito da lua –, chamado Fontenelle, publicou *Pluralidade dos mundos*, obra-prima em seu tempo. Mas a ciência, avançando, esmaga até as obras-primas! Em 1835, um opúsculo traduzido do *New York American* relatou que Sir John Herschell, enviado ao Cabo da Boa Esperança para aí realizar estudos astronômicos, conseguiu, com um telescópio de iluminação interna, trazer a lua a uma distância de cerca de 70 metros! Avistou então, distintamente, cavernas onde viviam hipopótamos, montanhas verdes rendadas de ouro, carneiros com chifres de marfim, cabritos brancos e habitantes com asas membranosas como as dos morcegos. Essa brochura, redigida por um americano chamado Locke[7], obteve enorme sucesso. Mas logo se viu que era uma mistificação científica, e os franceses foram os primeiros a rir dela.

– Rir de um americano! – esbravejou J.-T. Maston. – Eis aí um *casus belli*!

– Acalme-se, meu digno amigo. Os franceses, antes de rir, tinham sido completamente enganados por nosso compatriota. Para terminar este rápido resumo histórico, acrescentarei que um tal Hans Pfaal, de Roterdã, em seu balão cheio de um gás derivado do azoto e trinta e sete vezes mais leve que o hidrogênio, alcançou a lua após dezenove dias de

7 Essa brochura foi publicada na França pelo republicano Laviron, morto no cerco de Roma em 1849. (N.O.)

jornada. Essa viagem, como as anteriores, era puramente imaginária, mas da lavra de um escritor muito conhecido na América, um gênio estranho e contemplativo. Falo de Edgar Allan Poe!

– Viva Edgar Allan Poe! – bradou a assembleia, eletrizada pelas palavras de seu presidente.

– Nada mais direi – prosseguiu Barbicane – dessas tentativas que chamo de meramente literárias e que não bastam para estabelecer relações sérias com o astro das noites. Devo, entretanto, acrescentar que alguns espíritos práticos tentaram pôr-se em comunicação real com ele. Por exemplo, há alguns anos, um geômetra alemão sugeriu o envio de uma comissão de cientistas às estepes da Sibéria. Naquelas vastas planícies, deveriam traçar imensas figuras geométricas, desenhadas por meio de refletores luminosos, entre outras o quadrado da hipotenusa, vulgarmente chamado de "mata-burros" pelos franceses. "Qualquer ser dotado de inteligência", assegurava o geômetra, "compreenderá o objetivo científico dessa figura. Os selenitas, caso existam, responderão com uma figura semelhante e, uma vez estabelecida a comunicação, será fácil inventar um alfabeto que nos permita conversar com eles." Era o que dizia o geômetra alemão, mas seu projeto não foi concretizado e, até hoje, nenhum vínculo direto se estabeleceu entre a Terra e seu satélite. Está, porém, reservado ao gênio prático dos americanos entrar em contato com o mundo sideral. O meio para isso é simples, fácil, certo, infalível. Será o objeto de minha proposta.

Um barulho ensurdecedor, uma tempestade de exclamações acolheu essas palavras. Os assistentes estavam dominados, arrebatados, enleados pela fala do orador.

– Ouçam! Ouçam! Silêncio! – gritava-se pelo salão.

Acalmada a balbúrdia, Barbicane retomou, em tom mais grave, o discurso interrompido:

– Sabem que a balística progrediu muito em poucos anos e que as armas de fogo alcançariam alto grau de perfeição se a guerra não houvesse terminado. Sabem também que, de modo geral, a força de resistência dos canhões e o poder de expansão da pólvora são ilimitados. Pois bem! Partindo desse princípio, perguntei-me se, com um aparelho suficiente, feito em determinadas condições de resistência, não seria possível enviar uma bala à lua.

A essas palavras, um "oh" de estupefação escapou de mil peitos ofegantes; em seguida, fez-se um momento de silêncio, parecido à calma profunda que precede a tempestade. E, com efeito, a tempestade desabou, mas uma tempestade de aplausos, gritos, clamores. O salão tremeu. O presidente queria falar e não conseguia. Só ao fim de dez minutos é que logrou se fazer ouvir.

– Permitam-me terminar – prosseguiu ele, com frieza. – Abordei a questão por todos os ângulos, resolutamente, e meus cálculos indiscutíveis deixaram claro que um projétil com velocidade inicial de onze mil metros por segundo, dirigido para a lua, chegará necessariamente até lá. Tenho, pois, a honra de lhes propor, meus bravos colegas, que tentemos essa pequena experiência!

Efeito da comunicação de Barbicane

É impossível descrever o efeito produzido pelas últimas palavras do honorável presidente. Que gritos! Que vociferações! Que sucessão de rugidos, de hurras, "hip, hip!", de todas as onomatopeias que pululam na língua americana! Era uma balbúrdia, um vozerio indescritível! As bocas gritavam, as mãos batiam, os pés faziam estremecer o pavimento. Todas as armas daquele museu de artilharia, disparando ao mesmo tempo, não teriam agitado mais violentamente as ondas sonoras. Isso não chega a surpreender. Há artilheiros quase tão ruidosos quanto seus canhões.

Barbicane permanecia calmo em meio àquelas manifestações de entusiasmo. Talvez ainda quisesse dizer mais algumas palavras aos colegas, pois seus gestos reclamavam silêncio e sua campainha fulminante emitia violentas detonações. Mas ninguém o escutava. Logo foi arrancado da poltrona, carregado em triunfo – e, das mãos de seus fiéis companheiros, passou para os braços de uma multidão não menos excitada.

Nada detém um americano. Já se repetiu que a palavra "impossível" não é francesa: evidentemente, alguém se enganou de dicionário. Na América, tudo é fácil, tudo é simples, de modo que as dificuldades mecânicas morrem antes de nascer. Entre o projeto de Barbicane e sua realização, nenhum ianque se permitiria entrever nem uma sombra sequer de dificuldade. O que é dito é feito.

O desfile triunfal do presidente se prolongou pela noite. Uma verdadeira marcha à luz de tochas. Irlandeses, alemães, franceses, escoceses, todos esses indivíduos heterogêneos que compõem a população de Maryland gritavam em sua língua materna, e os vivas, os hurras, os bravos se mesclavam numa alacridade indescritível.

Pontualmente, como se soubesse que falavam dela, a lua refulgiu com uma serena magnificência, eclipsando com sua irradiação feérica as luzes da cidade. Todos os ianques miravam aquele disco cintilante; uns a saudavam com um aceno de mão, outros a chamavam pelos nomes mais carinhosos; uns a mediam com o olhar, outros a ameaçavam com o punho. Das oito horas à meia-noite, uma óptica da Jone's Fall Street fez fortuna vendendo lunetas. A lua era minuciosamente examinada como se fosse uma senhora da alta roda. Os americanos a encaravam com o espírito de proprietários: a loura Febe pertencia a esses audaciosos conquistadores e já fazia parte do território da União. No entanto, tratava-se de enviar-lhe um balaço, maneira um tanto brutal de travar relações, mesmo com um satélite, mas muito em uso nas nações civilizadas.

Acabava de soar meia-noite e o entusiasmo não arrefecia, mantendo-se no mesmo nível em todas as classes da população. O magistrado, o cientista, o comerciante, o vendedor, o carregador, os homens inteligentes tanto quanto os "verdes"[8] sentiam-se tocados até a última fibra, pois tratava-se de um empreendimento nacional. Assim, a cidade alta, a cidade baixa, os embarcadouros banhados pelas águas do Patapsco

8 Expressão bem americana para designar pessoas tolas. (N.O.)

e os navios ancorados tinham sido invadidos por uma multidão ébria de alegria, de gim e de uísque. Todos conversavam, argumentavam, discutiam, altercavam, aprovavam, aplaudiam, desde os cavalheiros pachorrentamente estendidos nos canapés dos *bar-rooms*, diante de seu copo de *sherry-cobbler*[9], até o barqueiro que se intoxicava de "arrebenta-peito"[10] nas lúgubres tabernas do Fells-Point.

Só por volta das duas horas a emoção se acalmou. O presidente Barbicane conseguiu voltar para casa, alquebrado, esmagado, moído. Um Hércules não resistiria a semelhante entusiasmo. A multidão abandonou pouco a pouco as ruas e as praças. As quatro ferrovias de Ohio, Susquehanna, Filadélfia e Washington, que convergem para Baltimore, espalharam o público heterogêneo pelos quatro cantos dos Estados Unidos, e a cidade recuperou uma tranquilidade relativa.

De resto, seria errôneo acreditar que, durante essa noite memorável, só Baltimore fora tomada por tamanho alvoroço. As grandes cidades da União - Nova Iorque, Boston, Albany, Washington, Richmond, Crescent-City[11], Charleston, Mobile –, do Texas a Massachusetts, de Michigan à Flórida, todas tomaram parte naquele delírio. Com efeito, os trinta mil correspondentes do Gun Club conheciam a letra de seu presidente e aguardaram com igual impaciência a famosa comunicação de 5 de outubro. Assim, na mesma noite, à medida que escapavam dos lábios do orador, suas palavras corriam pelos fios telegráficos através dos Estados da União na velocidade de trezentos mil quilômetros por segundo, a velocidade da luz. Pode-se dizer então, com certeza absoluta, que no mesmo instante os Estados Unidos da América, dez vezes maiores que a França, lançaram um único hurra e que vinte e cinco milhões de corações, inflados de orgulho, bateram no mesmo ritmo.

---

9 Mistura de rum, suco de laranja, açúcar, canela e noz-moscada. De cor amarelada, bebe-se com um canudinho de vidro. *Bar-rooms* é uma espécie de café. (N.O.)

10 Bebida assustadora dos pobres. Literalmente, *thorough knock me down*. (N.O.)

11 Nome poético de Nova Orleans. (N.O.)

No dia seguinte, quinhentas publicações diárias, semanais, bimensais ou mensais se apropriaram da questão. Examinaram-na sob seus diferentes aspectos físicos, meteorológicos, econômicos ou morais, do ponto de vista da preponderância política ou da civilização. Indagavam se a lua era um mundo acabado ou se ainda sofreria alguma mudança. Seria parecida com a Terra no tempo em que a atmosfera ainda não existia? Que espetáculo ofereceria essa face invisível ao esferoide terrestre? Embora, de momento, só se tratasse de enviar uma bala ao astro das noites, todos viam nisso o ponto de partida de uma série de experiências. Todos esperavam que, um dia, a América penetrasse os últimos segredos desse disco misterioso e alguns até pareciam crer que sua conquista alteraria sensivelmente o equilíbrio europeu.

Discutido o projeto, nem um único periódico pôs em dúvida sua realização; as coletâneas, os panfletos, os boletins, as revistas publicadas pelas sociedades científicas, literárias ou religiosas enfatizaram suas vantagens. A Sociedade de História Natural, de Boston, a Sociedade Americana de Ciências e Artes, de Albany, a Sociedade Geográfica e Estatística, de Nova Iorque, a Sociedade Filosófica Americana, da Filadélfia, o Instituto Smithsoniano, de Washington, enviaram em mil cartas suas felicitações ao Gun Club, com ofertas imediatas de serviço e dinheiro.

Podemos dizer, sem exagero, que jamais uma proposta reuniu tantos adeptos; estavam fora de questão as hesitações, as dúvidas, os receios. Quanto às ironias, às caricaturas, às cançonetas que acolheriam na Europa, e particularmente na França, a ideia de mandar um projétil à lua, teriam se voltado contra seus autores: todos os *lifepreservers*[12] seriam impotentes para defendê-los contra a indignação geral. Há coisas de que não se ri no Novo Mundo. Impey Barbicane tornou-se então, a partir desse dia, um dos maiores cidadãos dos Estados Unidos, algo como o Washington da ciência – e um detalhe entre muitos mostrará até onde ia essa admiração de todo um povo a um homem.

---

12 Arma de bolso feita de uma haste flexível e de uma bola de metal. (N.O.)

Alguns dias após a famosa sessão do Gun Club, o diretor de uma companhia inglesa anunciou no teatro de Baltimore a representação de *Muito barulho por nada*, uma das comédias de Shakespeare. Mas o povo da cidade, vendo nesse título uma alusão desabonadora aos projetos do presidente Barbicane, invadiu a sala, quebrou as cadeiras e obrigou o infeliz diretor a mudar o programa. Esse diretor, homem de espírito, submeteu-se à vontade pública e substituiu a malfadada comédia por *Do jeito que você gosta*. Durante semanas, o lucro foi fenomenal.

Resposta do Observatório de Cambridge

Enquanto isso, Barbicane não perdia um minuto sequer em meio às ovações de que era objeto.

Seu primeiro cuidado foi reunir os colegas no escritório do Gun Club. Ali, após discutirem, eles concordaram em consultar os astrônomos sobre a parte astronômica do empreendimento. Obtida a resposta, tratariam dos meios mecânicos e nada seria negligenciado para garantir o sucesso da grande experiência.

Uma nota minuciosa, contendo perguntas especiais, foi então redigida e endereçada ao Observatório de Cambridge, em Massachusetts. Essa cidade, onde foi fundada a primeira universidade dos Estados Unidos, é justificadamente famosa por sua equipe de astrônomos, sábios do mais elevado mérito. Lá se encontra o poderoso telescópio que permitiu a Bond examinar a nebulosa de Andrômeda e a Clarke descobrir o satélite de Sirius. Portanto, esse célebre estabelecimento justificava em todos os pontos a confiança do Gun Club.

Dois dias depois, a resposta ansiosamente esperada chegava às mãos do presidente Barbicane. Era concebida nos seguintes termos:

O Diretor do Observatório de Cambridge ao Presidente do Gun Club, em Baltimore.

Cambridge, 7 de outubro.

Após o recebimento de sua carta de 6 do corrente mês, endereçada ao Observatório de Cambridge em nome dos membros do Gun Club de Baltimore, nossa equipe se reuniu imediatamente e julgou de bom alvitre responder como segue:

As perguntas que lhe foram feitas são estas:

1.ª É possível enviar um projétil à lua?

2.ª Qual é a distância exata que separa a Terra de seu satélite?

3.ª Qual será a duração do trajeto do projétil ao qual será imprimida uma velocidade inicial suficiente e, em consequência, quando deverá ele ser lançado para encontrar a lua em determinado ponto?

4.ª Em que exato momento a lua estará na posição mais favorável para ser atingida pelo projétil?

5.ª Que ponto do céu deveremos visar com o canhão destinado a lançar o projétil?

6.ª Que lugar no céu a lua ocupará no momento do disparo?

Sobre a primeira pergunta: "É possível enviar um projétil à lua?".

Sim, é possível enviar um projétil à lua, caso se consiga animar esse projétil com uma velocidade inicial de onze mil metros por segundo. Os cálculos demonstram que essa velocidade é suficiente. À medida que nos distanciamos da Terra, a ação do peso diminui na razão inversa do quadrado das distâncias, isto é, para uma distância três vezes maior, essa ação é nove vezes menor. Em consequência, o peso da bala irá diminuindo e acabará por se anular completamente no momento em que a atração da lua se equilibrar com a da Terra: a 47,52% do trajeto. Nesse momento, o projétil pesará mais e, se cruzar esse ponto, cairá sobre a lua apenas pelo efeito da atração lunar. A possibilidade teórica da experiência fica, pois, absolutamente demonstrada. Quanto ao sucesso, só dependerá do equipamento empregado.

Sobre a segunda pergunta: "Qual é a distância exata que separa a Terra de seu satélite?".

A lua não descreve em torno da Terra uma circunferência, mas antes uma elipse da qual nosso globo ocupa um dos focos; portanto, ela se encontra ora mais perto, ora mais longe de nós (em termos astronômicos, ora está no perigeu, ora no apogeu). A diferença entre a distância maior e a menor é bastante considerável, no caso, para que a possamos negligenciar. Com efeito, no apogeu, a lua está a 398 mil quilômetros e, no perigeu, a 352 mil – uma diferença de 46 mil quilômetros ou mais ou menos a nona parte do percurso. É, pois, a distância no perigeu que deve servir de base aos cálculos.

Sobre a terceira pergunta: "Qual será a duração do trajeto do projétil ao qual será imprimida uma velocidade inicial suficiente e, em consequência, quando deverá ele ser lançado para encontrar a lua em determinado ponto?".

Se o projétil conservasse indefinidamente a velocidade inicial de onze mil metros por segundo, impressa na partida, levaria apenas nove horas mais ou menos para chegar a seu destino; mas, como essa velocidade inicial diminuirá continuamente, concluímos pelos cálculos que precisará de trezentos mil segundos, ou seja, 83 horas e 20 minutos para chegar ao ponto em que as atrações terrestre e lunar se equilibram; a partir daí, cairá na lua em cinquenta mil segundos, ou 13 horas, 53 minutos e 20 segundos. Convirá, portanto, que o lançamento se faça 97 horas, 13 minutos e 20 segundos antes da chegada da lua ao ponto visado.

Sobre a quarta pergunta: "Em que exato momento a lua estará na posição mais favorável para ser atingida pelo projétil?".

Como se viu acima, primeiro é necessário escolher a época em que a lua estará em seu perigeu e, em seguida, o momento em que passará pelo zênite, pois isso diminuirá ainda mais o percurso de uma distância igual ao raio terrestre, isto é, 6.300 quilômetros. Assim, o trajeto definitivo será de 346 mil quilômetros. No entanto, como mensalmente a lua passa a seu perigeu, nem sempre está no zênite nesse momento. Só se apresenta nessas condições em longos intervalos, sendo, pois, necessário aguardar a coincidência da passagem ao perigeu e pelo zênite. Ora, por uma feliz coincidência, no dia 4 de dezembro do próximo ano, a lua oferecerá essas duas condições: à meia-noite, estará em seu perigeu, quer dizer, em sua menor distância da Terra, e passará ao mesmo tempo pelo zênite.

Sobre a quinta pergunta: "Que ponto do céu deveremos visar com o canhão destinado a lançar o projétil?".

Admitidas as observações precedentes, o canhão deverá ser apontado para o zênite[13] *do lugar; assim, o tiro será perpendicular ao plano do horizonte, e o projétil se subtrairá mais rapidamente aos efeitos da atração terrestre. Mas, para que a lua suba para o zênite de um lugar, é preciso que este não seja mais alto em latitude que a declinação do astro – em outras palavras, que esteja compreendido entre 0 grau e 28 graus de latitude norte ou sul*[14]*. Em*

13 Zênite é o ponto do céu situado verticalmente acima da cabeça de um observador. (N.O.)

14 Apenas nas regiões do globo compreendidas entre o equador e o paralelo 28 a culminação da lua a conduz ao zênite; para além do 28.º grau, quanto mais avançamos para os polos, menos a lua se aproxima do zênite. (N.O.)

qualquer outro lugar, o tiro deveria ser necessariamente oblíquo, o que prejudicaria o bom êxito da experiência.

Sobre a sexta pergunta: "Que lugar no céu a lua ocupará no momento do disparo?".

No momento em que o projétil for lançado, a lua, que avança a cada dia 13º10'35", deverá estar distanciada do zênite quatro vezes esse número, ou seja, 52º42'20", espaço que corresponde ao caminho que ela percorrerá durante o percurso do projétil. Mas, como é preciso também levar em conta o desvio que o movimento de rotação da Terra imprimirá ao projétil, e como este só chegará à lua depois de se desviar em uma distância igual a dezesseis raios terrestres (que, contados sobre a órbita da lua, perfazem cerca de onze graus), devemos acrescentar esses onze graus aos que correspondem ao atraso da lua já mencionado, isto é, 64 graus em números redondos. Portanto, no momento do disparo, o raio visual até a lua fará, com a vertical do lugar, um ângulo de 64 graus.

Tais são as respostas às perguntas dirigidas ao Observatório de Cambridge pelos membros do Gun Club.

Em resumo:

1.º O canhão deverá ser posto em um país situado entre 0 grau e 28 graus de latitude norte ou sul.

2.º O canhão ser apontado para o zênite do lugar.

3.º O projétil deverá ter a velocidade inicial de onze mil metros por segundo.

4.º Deverá ser lançado em primeiro de dezembro do próximo ano, às 11 horas menos 13 minutos e 20 segundos.

5.º O projétil encontrará a lua quatro dias após o disparo, em 4 de dezembro, exatamente à meia-noite, no momento em que ela passar pelo zênite.

Os membros do Gun Club devem, portanto, começar sem demora os trabalhos necessários a semelhante empreendimento e estar prontos a agir no momento certo, pois, se deixarem passar a data de 4 de dezembro, só encontrarão a lua nas mesmas condições de perigeu e zênite daqui a dezoito anos e onze dias.

A equipe do Observatório de Cambridge se coloca inteiramente à sua disposição para as questões de astronomia teórica e, pela presente, junta suas felicitações às da América inteira.

Pela equipe,

– J.-M. Belfast, diretor do Observatório de Cambridge

O romance da lua

Um observador de vista infinitamente penetrante e postado no centro desconhecido em volta do qual gravita o mundo teria visto miríades de átomos enchendo o espaço na época caótica do universo. Mas, pouco a pouco, com o decorrer dos séculos, uma mudança ocorreu: uma lei de atração surgiu e os átomos até então errantes passaram a obedecer-lhe. Esses átomos se combinaram quimicamente, segundo suas afinidades, transformaram-se em moléculas e formaram os agregados nebulosos que se espalham pelas profundezas do céu.

Esses agregados foram imediatamente providos de um movimento de rotação em torno de seu ponto central. O centro, constituído de moléculas vagas, pôs-se a girar em torno de si mesmo, condensando-se progressivamente. Nos termos das leis imutáveis da mecânica, à medida que seu volume diminuía pela condensação, seu movimento rotativo se acelerava e, com a persistência desses efeitos, resultou daí uma estrela principal, núcleo do agregado nebuloso.

Olhando com atenção, o observador teria visto as outras moléculas do agregado se comportar como a estrela central, condensar-se do mesmo modo por um movimento de rotação progressivamente acelerado e gravitar em torno dela sob a forma de estrelas incontáveis. A nebulosa, que segundo os astrônomos tem perto de cinco mil, estava formada.

Entre as cinco mil nebulosas, uma foi chamada pelos homens de Via Láctea[15] e contém dezoito milhões de estrelas, cada qual o centro de um mundo solitário.

Se o observador desse atenção especial, entre esses dezoito milhões de astros, a um dos mais modestos e menos brilhantes[16], uma estrela de quarta grandeza e que ostenta orgulhosamente o nome de sol, todos os fenômenos aos quais se deve a formação do universo ocorreriam, em sucessão, diante de seus olhos.

Com efeito, o sol, ainda em estado gasoso e composto de moléculas móveis, apareceria girando em torno de seu eixo para terminar a obra de concentração. Esse movimento, fiel às leis da mecânica, se acelerou com a diminuição do volume e chegaria o momento em que a força centrífuga superaria a força centrípeta, cuja tendência é empurrar as moléculas para o centro.

Então, outro fenômeno ocorreria diante dos olhos do observador: as moléculas situadas no plano do equador escapariam como a pedra de uma funda cuja corda se rompesse de repente, formando em volta do sol vários anéis concêntricos parecidos com os de Saturno. Por sua vez, esses anéis de matéria cósmica, dotados de um movimento de rotação em volta da massa central, se romperiam e se decomporiam em nebulosas secundárias, isto é, planetas.

Nosso observador concentraria em seguida toda a sua atenção nesses planetas e notaria que se comportavam exatamente como o sol, dando

---

15 Da palavra grega *galakhtos*, que significa *leite*. (N.O.)

16 O diâmetro de Sirius, segundo Wollaston, deve ser doze vezes o do sol, isto é, cerca de dezenove milhões de quilômetros. (N.O.)

nascença a um ou vários anéis cósmicos, origem dos astros de ordem inferior que chamamos de satélites.

Desse modo, remontando do átomo à molécula, da molécula ao agregado nebuloso, do agregado nebuloso à nebulosa, da nebulosa à estrela principal, da estrela principal ao sol, do sol ao planeta e do planeta ao satélite, temos a série inteira das transformações sofridas pelos corpos celestes desde os primeiros dias do mundo.

O sol parece perdido nas imensidões do mundo estelar, mas, segundo as teorias atuais da ciência, está preso à nebulosa da Via Láctea. Centro de um mundo (e por pequeno que pareça no meio das regiões etéreas), ele ainda assim pode ser considerado enorme, pois seu volume é 1.400.000 vezes maior que o da Terra. À sua volta, gravitam oito planetas, saídos de suas próprias entranhas nos primeiros tempos da Criação. São eles, do mais próximo ao mais distante: Mercúrio, Vênus, Terra, Marte, Júpiter, Saturno, Urano e Netuno. Mas, entre Marte e Júpiter, circulam regularmente outros corpos menores, talvez os restos de um astro partido em milhares de fragmentos, dos quais o telescópio reconheceu 97 até hoje[17].

Desses servos que o sol mantém em sua órbita elíptica graças à grande lei da gravidade, alguns possuem seus próprios satélites. Urano possui oito, Saturno, oito, Júpiter, quatro, Netuno, possivelmente, três, e a Terra, um; este, um dos menos importantes do mundo solar, chama-se lua e é o que o gênio audacioso dos americanos pretendia conquistar.

O astro das noites, por sua proximidade relativa e pelo espetáculo sempre renovado de suas fases diversas, nunca deixou de partilhar com o sol a atenção dos habitantes da Terra; mas contemplar o sol é ofuscante para os olhos, e seu brilho nos obriga a baixá-los.

Ao contrário, a loura Febe, mais humana, deixa-se contemplar em sua graça modesta; é doce ao olhar, pouco ambiciosa e, no entanto, permite-se às vezes eclipsar seu radioso irmão, Apolo, sem nunca ser por ele

17 Alguns desses asteroides são tão pequenos que é possível percorrê-los em um único dia a passo rápido. (N.O.)

eclipsada. Os muçulmanos se mostraram reconhecidos a essa fiel amiga da Terra e regularam os meses por sua revolução, que é de cerca de vinte e nove dias e meio.

Os povos mais antigos consagraram um culto especial a essa deusa casta. Os egípcios a chamavam de Ísis; os fenícios, de Astarteia; os gregos a adoravam sob o nome de Febe, filha de Latona e Júpiter, explicando seus eclipses pelas visitas misteriosas de Diana ao belo Endimião. A crermos na mitologia, o leão de Nemeia percorreu os campos da lua antes de aparecer na Terra, e o poeta Agesianace, citado por Plutarco, celebrou em seus versos esses olhos doces, esse nariz encantador e essa boca amável formados pelas partes luminosas da adorável Selene.

Mas, se os antigos compreenderam bem o caráter, o temperamento – em suma, as qualidades morais – da lua do ponto de vista mitológico, os mais sábios dentre eles permaneceram muito ignorantes em selenografia.

Entretanto, vários astrônomos de épocas recuadas descobriram certas particularidades confirmadas hoje pela ciência. Se os arcádios pretendiam ter habitado a Terra quando a lua ainda não existia, se Simplício a julgava imóvel e engastada na abóbada de cristal, se Tácio a via como um fragmento destacado do disco solar, se Clearco, discípulo de Aristóteles, considerava-a um espelho polido no qual se refletiam as imagens do oceano e se outros, enfim, supunham-na apenas uma bola de vapores exalados pela Terra ou um globo metade fogo, metade gelo, que girava em torno de si mesmo, alguns sábios, por meio de observações sagazes na falta de instrumentos de óptica, anteciparam a maior parte das leis que regem o astro das noites.

Assim, Tales de Mileto, 460 anos antes de Cristo, aventou que a lua era iluminada pelo sol. Aristarco de Samos explicou corretamente suas fases. Cleômenes ensinou que sua luz era reflexa. O caldeu Berósio descobriu que a duração de seu movimento de rotação era igual ao de seu movimento de revolução e esclareceu com isso por que a lua apresenta sempre a mesma face. Enfim, Hiparco, dois séculos antes da era cristã, reconheceu algumas irregularidades nos movimentos aparentes do satélite da Terra.

Todas essas observações foram confirmadas posteriormente e ajudaram muito os novos astrônomos. Ptolomeu, no século II, e o árabe Abul-Wefa, no século X, confirmaram as conclusões de Hiparco sobre as irregularidades do trajeto da lua pela linha ondulada de sua órbita, em consequência da ação do sol. Mais tarde, Copérnico[18], no século XV, e Tycho Brahe, no século XVI, fizeram uma descrição completa do sistema do mundo e do papel da lua no conjunto dos corpos celestes.

Por essa época, seus movimentos estavam praticamente determinados, mas de sua constituição física pouco se sabia. Então, Galileu explicou os fenômenos luminosos produzidos em certas fases pela existência de montanhas às quais atribuiu uma altura média de nove mil metros.

Depois dele, Hevelius, um astrônomo de Danzig, rebaixou as maiores altitudes a 5.200 metros; seu colega Riccioli, porém, elevou-as para catorze mil.

Herschell, no fim do século XVIII, munido de um possante telescópio, reduziu em muito as medidas precedentes. Deu 3.800 metros às montanhas mais altas e diminuiu a média das diferentes altitudes a apenas oitocentos metros. Mas Herschell também se enganou, sendo necessárias as observações de Shroeter, Louville, Halley, Nasmyth, Bianchini, Pastorf, Lohrman, Gruithuysen e sobretudo de Beer e Moedeler, com seus pacientes estudos, para resolver em definitivo a questão. Graças a esses cientistas, a elevação das montanhas da lua é perfeitamente conhecida hoje em dia. Beer e Moedeler mediram 1.905 altitudes, das quais seis estão acima de 5.200 metros e vinte e duas acima de 5.800[19]. O pico mais alto está a 7.602 metros do disco lunar.

18 Ver *Les Fondateurs de l'Astronomie Moderne* [Os fundadores da astronomia moderna], um livro admirável de M. J. Bertrand, do Instituto. (N.O.)

19 O Monte Branco chega a 4.813 metros acima do nível do mar. (N.O.)

Enquanto isso, completava-se o reconhecimento da lua; esse astro aparecia crivado de crateras e sua natureza essencialmente vulcânica era comprovada a cada observação. Como não se notava refração nos raios dos planetas ocultados por ela, concluiu-se que a lua não tinha quase nenhuma atmosfera. A ausência de ar implicava a ausência de água. Tornava-se então manifesto que os selenitas, para viver em tais condições, possuíam necessariamente uma organização especial, diferindo muito dos habitantes da Terra.

Por fim, graças aos métodos novos, instrumentos mais aperfeiçoados vasculharam a lua sem cessar, não deixando um ponto de sua face inexplorado. Contudo, seu diâmetro é de 3.440 quilômetros[20], sua superfície equivale à 13.ª parte da superfície da Terra[21] e seu volume à 49.ª parte do volume do esferoide terrestre. Mas nenhum de seus segredos poderia escapar ao olho hábil dos astrônomos, que levaram ainda mais longe suas prodigiosas observações.

Notaram, por exemplo, que durante a lua cheia o disco aparecia em certas partes raiado de linhas brancas e, durante as fases, raiado de linhas pretas. Estudos mais precisos deram uma explicação bastante exata da natureza dessas linhas: eram sulcos compridos e estreitos, cavados entre bordas paralelas e que levavam geralmente aos contornos das crateras. Seu comprimento era de 15 a 150 quilômetros, com largura de 1.500 metros. Os astrônomos se limitaram a chamá-los de "sulcos", mas não puderam determinar com certeza se eram leitos secos de rios antigos ou não. Então, os americanos contavam explicar, mais cedo ou mais tarde, esse fato geológico. Reservavam-se também a tarefa de reconhecer a série de muralhas paralelas descobertas na superfície da lua por Gruithuysen, eminente professor de Munique, que as considera um sistema de fortificações erguidas pelos engenheiros selenitas. Esses dois pontos, ainda obscuros (além de muitos outros, sem dúvida), só

20 Isto é, um pouco mais que um quarto do raio terrestre. (N.O.)

21 Trinta e oito milhões de quilômetros quadrados. (N.O.)

poderiam ser definitivamente explicados após uma comunicação direta com a lua.

Quanto à intensidade de sua luz, não havia mais nada a aprender a esse respeito: sabia-se que ela é trezentas mil vezes mais fraca que a do sol e que seu calor quase não afeta os termômetros. Relativamente ao fenômeno conhecido como luz cinzenta, explica-se pelo efeito dos raios do sol redirecionados da Terra à lua, que parecem completar o disco lunar quando este se apresenta sob a forma de um crescente na primeira e última fase.

Tal era o estado dos conhecimentos sobre o satélite da Terra que o Gun Club se propunha enriquecer sob todos os pontos de vista: cosmográficos, geológicos, políticos e morais.

O que não é possível ignorar e o que não é mais permitido aceitar nos Estados Unidos

A proposta de Barbicane teve por resultado imediato trazer para a ordem do dia todos os fatos astronômicos relativos ao astro das noites. Cada qual se pôs a estudá-lo assiduamente. Era como se a lua surgisse pela primeira vez no horizonte e ninguém jamais a tivesse visto no céu. Entrou na moda; foi a "estrela" do momento, sem parecer mais modesta, e tomou lugar entre as "divas", sem mostrar menos vaidade. Os jornais ressuscitaram velhas anedotas nas quais o "Sol dos lobos" desempenhava um papel; lembraram as influências que a ignorância das eras antigas lhe emprestava; cantaram-na em todos os tons; um pouco mais e reproduziriam seus ditos espirituosos. Em suma, a América inteira foi contaminada pela selenomania.

De seu lado, as revistas científicas abordaram mais especificamente as questões relativas ao empreendimento do Gun Club. A carta do Observatório de Cambridge foi por elas publicada, comentada e aprovada sem reservas.

Logo se proibiu tacitamente, até ao menos letrado dos ianques, ignorar um só dos fatos relativos a seu satélite – e, à mais teimosa das matronas, continuar admitindo erros supersticiosos a respeito dele. A ciência lhes chegava sob todas as formas; entrava-lhes pelos olhos e ouvidos: não era possível ser um asno... em astronomia.

Até então, muitas pessoas ignoravam como se pudera calcular a distância entre a Terra e a lua. Aproveitou-se essa circunstância para ensinar-lhes que essa distância se obtinha pela medida da paralaxe lunar. Quando a palavra paralaxe as assustava, diziam-lhes que é o ângulo formado por duas linhas retas partidas de cada extremidade do raio terrestre até a lua. Se duvidavam da perfeição desse método, provavam-lhes imediatamente que não apenas a distância média era de 375 mil quilômetros como os astrônomos só poderiam enganar-se em, no máximo, 110 quilômetros.

A quem não estava familiarizado com os movimentos da lua, os jornais demonstravam diariamente que ela executa dois deslocamentos distintos: o primeiro, de rotação, em torno de seu eixo; o segundo, de revolução, em torno da Terra. Ambos ocorrem em tempo igual, ou seja, vinte e sete dias e um terço[22].

O movimento de rotação é o que cria o dia e a noite na superfície da lua. Mas há apenas um dia e uma noite por mês lunar e cada um dura 354 horas e um terço. Felizmente para ela, a face voltada para o globo terrestre é iluminada por ele com uma intensidade igual à luz de catorze luas. Quanto à outra face, sempre invisível, tem naturalmente 354 horas

22 Essa é a duração da revolução sideral, ou seja, o tempo que a lua gasta para voltar a uma mesma estrela. (N.O.)

de noite absoluta, amenizada apenas por essa "pálida claridade que tomba das estrelas". Esse fenômeno se deve unicamente ao fato de os movimentos de rotação e revolução se cumprirem em tempos rigorosamente iguais, fenômeno comum, segundo Cassini e Herschell, aos satélites de Júpiter e com muita probabilidade a todos os outros satélites.

Alguns espíritos bem dispostos, mas um pouco lentos, não entendiam de início que, se a lua mostra invariavelmente a mesma face à Terra durante sua revolução, é porque, no mesmo lapso de tempo, realiza uma volta em torno de seu próprio eixo. A eles, dizia-se: "Vá até sua sala de jantar e caminhe em torno da mesa sempre com os olhos postos no centro dela; no fim de seu passeio circular, você terá executado um giro em torno de si mesmo, pois seus olhos terão percorrido, sucessivamente, todos os pontos da sala. Pois bem: a sala é o céu, a mesa é a Terra e a lua é você!". Todos ficavam encantados com a comparação.

Desse modo, a lua mostra sempre a mesma face à Terra. Mas, para sermos exatos, cabe acrescentar que, em virtude de um certo balanço de norte a sul e de oeste a leste, chamado "libração", ela deixa entrever um pouco mais da metade de seu disco, uns 57% mais ou menos.

Quando os ignorantes já sabiam tanto quanto o diretor do Observatório de Cambridge sobre o movimento de rotação da lua, passaram a inquietar-se muito com seu movimento de revolução em torno da Terra, e vinte revistas científicas se apressaram a instruí-los. Aprenderam então que o firmamento, com sua infinidade de estrelas, pode ser considerado um vasto mostrador de relógio sobre o qual a lua passeia indicando a hora certa a todos os habitantes da Terra; que é graças a esse movimento que o astro das noites apresenta suas diferentes fases; que a lua é cheia quando se coloca em oposição ao sol, ou seja, quando os três astros estão numa mesma linha e a Terra no centro; que a lua é nova quando se coloca em conjunção com o sol, ou seja, quando está entre ele e a Terra; enfim, que a lua é crescente ou minguante quando forma com o sol e a Terra um ângulo reto, ocupando o vértice.

Alguns ianques perspicazes deduziram então que os eclipses só podem ocorrer em épocas de conjunção ou oposição e estavam certos. Na conjunção, a lua eclipsa o sol; e, na oposição, a Terra é que o eclipsa. Se esses eclipses não ocorrem duas vezes por lunação é porque o plano pelo qual se move a lua está inclinado sobre a eclíptica, ou seja, sobre o plano pelo qual a Terra se move.

Quanto à altura que o astro das noites pode atingir acima do horizonte, a carta do Observatório de Cambridge havia dito tudo a esse respeito. Todos sabiam que essa altura varia conforme a latitude do local onde se faz a observação. Mas as únicas zonas do globo pelas quais a lua passa no zênite, colocando-se diretamente sobre a cabeça dos observadores, estão compreendidas entre o paralelo 28 e o equador. Daí a importante recomendação de tentar a experiência num ponto qualquer dessa parte do globo, para que o projétil pudesse ser lançado perpendicularmente e escapar assim, com mais rapidez, à ação da gravidade. Essa era uma condição essencial para o êxito do empreendimento e não deixava de preocupar vivamente a opinião pública.

Quanto à linha seguida pela lua em sua revolução em torno da Terra, o Observatório de Cambridge havia explicado suficientemente, mesmo aos incultos de todos os países, que ela é uma curva reentrante, não um círculo, parecendo-se mais com uma elipse da qual a Terra ocupa um dos focos. Essas órbitas elípticas são comuns a todos os planetas e a todos os satélites, com a mecânica racional provando rigorosamente que não poderia ser de outra forma. Ficou bem entendido que a lua, no apogeu, acha-se mais afastada da Terra e, no perigeu, mais próxima.

Eis, pois, o que todo americano sabia, o que ninguém podia decentemente ignorar. Entretanto, se esses princípios verdadeiros iam se vulgarizando com rapidez, algumas crenças ilusórias foram mais difíceis de erradicar.

Algumas mentes imaginativas sustentavam, por exemplo, que a lua era um antigo cometa, o qual, percorrendo sua extensa órbita em torno do sol, passou perto da Terra e foi capturado por seu campo de atração. Esses astrônomos de salão pretendiam explicar assim o aspecto calcinado da superfície da lua, desgraça irreparável que atribuíam ao astro radioso. Todavia, quando alguém observava que os cometas possuem atmosfera e que a lua possui pouca ou nenhuma, não sabiam responder.

Outros, pertencentes à raça dos assustados, tinham certo medo da lua. Ouviram dizer que, com base em observações feitas no tempo dos califas, seu movimento se acelerava em determinada proporção. Deduziam daí, aliás com muita lógica, que à aceleração do movimento devia corresponder a diminuição da distância entre os dois astros: portanto, se esse duplo efeito se prolongar ao infinito, a lua acabará um dia por cair sobre a Terra. Mas se tranquilizaram e deixaram de temer pelas gerações futuras quando foram informados de que, segundo os cálculos de Laplace, ilustre matemático francês, essa aceleração de movimento é muito restrita e que uma diminuição proporcional logo a substituirá. Desse modo, o equilíbrio do mundo solar não será abalado nos séculos que estão por vir.

Restava a classe supersticiosa dos ignorantes. Esses não se contentavam com ignorar, acreditavam no que não existia e, a propósito da lua, sabiam tudo. Uns consideravam seu disco como um espelho polido por meio do qual se poderiam ver diversos pontos da Terra e comunicar pensamentos. Outros sustentavam que, de mil luas observadas, novecentas e cinquenta provocaram mudanças notáveis, como cataclismos, revoluções, terremotos, dilúvios, etc. Acreditavam, pois, na misteriosa influência do astro da noite sobre os destinos humanos, considerando-o o "verdadeiro contrapeso" da existência. Supunham que cada selenita estivesse ligado a um habitante da Terra por um vínculo simpático. Para essas pessoas, como para o doutor Mead, o sistema vital estava inteiramente submetido ao nosso satélite e teimavam que os meninos nasciam sobretudo durante a lua nova, e as meninas, durante o último quarto, etc., etc. Mas, por fim, foi necessário renunciar a esses erros vulgares e aceitar a verdade única; e se a lua, despojada de sua influência, ficou muito diminuída no espírito de alguns cortesãos de todos os poderes, se muita gente lhe virou as costas, a imensa maioria se pronunciou a seu favor. Quanto aos ianques, tinham por única ambição tomar posse desse novo continente dos ares e arvorar em seu ponto mais alto a bandeira estrelada dos Estados Unidos da América.

O hino da bala

O Observatório de Cambridge havia, em carta memorável de 7 de outubro, abordado a questão do ponto de vista astronômico; tratava-se agora de resolvê-la mecanicamente. A essa altura, as dificuldades práticas teriam parecido insuperáveis em qualquer outro país: na América, era apenas um jogo.

O presidente Barbicane, sem perda de tempo, nomeou com membros do Gun Club um comitê executivo, que em três sessões deveria elucidar os três grandes problemas: o canhão, o projétil e a pólvora. Era composto de quatro indivíduos muito sábios nessas matérias: Barbicane, com voto de desempate, o general Morgan, o major Elphiston e o indefectível J.-T. Maston, ao qual foram confiadas as funções de secretário-relator.

Em 8 de outubro, o comitê se reuniu na casa do presidente Barbicane, Republican Street, nº 3. Como fosse importante que o estômago não perturbasse com seus gritos uma discussão tão séria, os quatro membros do Gun Club se sentaram a uma mesa coberta de sanduíches e chaleiras em quantidade respeitável. Em seguida, J.-T. Maston encaixou sua pena no gancho de ferro e a sessão teve início.

Barbicane tomou a palavra:

– Meus caros colegas, precisaremos resolver um dos mais importantes problemas da balística, a ciência por excelência, que trata do movimento dos projéteis, isto é, dos corpos lançados ao espaço por uma força de impulsão qualquer e depois abandonados a si mesmos.

– Oh, a balística, a balística! – exultou J.-T. Maston, comovido.

– Talvez parecesse mais lógico – prosseguiu Barbicane – discutirmos nesta primeira sessão o problema do aparelho...

– De fato – reconheceu o general Morgan.

– Mas – continuou o presidente –, após refletir bastante, achei que o problema do projétil devia vir antes que o do canhão e que as dimensões deste deveriam depender das dimensões daquele.

– Peço a palavra – interveio J.-T. Maston.

A palavra lhe foi concedida com a presteza que seu magnífico passado merecia.

– Meus bravos amigos – começou ele, num tom inspirado –, nosso presidente está certo em antepor a questão do projétil! A bala que mandaremos à lua é nossa mensageira, nossa embaixadora, e peço-lhes permissão para considerá-la do ponto de vista puramente moral.

Essa maneira nova de encarar um projétil deixou curiosos os membros do comitê; prestaram, pois, a máxima atenção às palavras de J.-T. Maston.

– Queridos colegas – prosseguiu ele –, serei breve. Deixarei de lado o projétil físico, aquele que mata, para contemplar o projétil matemático, de natureza moral. O projétil é, para mim, a mais brilhante manifestação do poder humano, que ele resume por inteiro. Criando-o, o homem se aproximou mais do Criador!

– Muito bem! – disse o major Elphiston.

– Com efeito – prosseguiu o orador –, se Deus fez as estrelas e os planetas, o homem fez o projétil, esse padrão das velocidades terrestres, essa redução dos astros errantes no espaço, que, a bem dizer, não passam de projéteis! A Deus a velocidade da eletricidade, a velocidade da luz, a velocidade das estrelas, a velocidade dos cometas, a velocidade dos planetas, a velocidade dos satélites, a velocidade do som, a velocidade do vento! Mas, a nós, a velocidade do projétil, cem vezes superior à dos trens e dos cavalos mais rápidos!

J.-T. Maston estava exultante; sua voz assumia tons líricos ao cantar esse hino sagrado da bala.

– Querem números? – prosseguiu ele. – Pois aí vão, e eloquentes! Tomem, por exemplo, o modesto projétil de dez quilos. Sua velocidade pode ser oitocentas mil vezes menor que a da eletricidade, 640 vezes menor que a da luz, 76 vezes menor que a da Terra em seu movimento de translação em torno do sol, mas, ao sair do canhão, ultrapassa a do som[23]. Faz quatrocentos metros por segundo, quatro mil metros em dez segundos, cerca de vinte e dois quilômetros por minuto, 1.350 quilômetros por hora, trinta e dois mil quilômetros por dia (ou seja, a velocidade dos pontos do equador no movimento de rotação do globo) e 11.500.000 quilômetros por ano. Levaria onze dias para chegar à lua, doze anos para chegar ao sol, 360 anos para chegar a Netuno, nos confins do mundo solar. Eis o que faria esse modesto projétil, obra de nossas mãos! Que acontecerá então se, multiplicando por vinte essa velocidade, nós o lançarmos a onze quilômetros por segundo? Ah, projétil soberbo, projétil esplêndido! Creio que será recebido, lá no alto, com as honras devidas a um embaixador terrestre!

Hurras acolheram essa vibrante peroração, e J.-T. Maston, muito comovido, assentou-se em meio às felicitações de seus colegas.

---

23 Portanto, quem ouve a detonação do canhão já escapou ao projétil. (N.O.)

– Agora – disse Barbicane – que já abrimos bastante espaço à poesia, ataquemos de frente o problema.

– Estamos prontos – acudiram os membros do comitê, devorando, cada um, meia dúzia de sanduíches.

– Sabem qual é o problema a resolver – continuou o presidente. – Trata-se de imprimir a um projétil a velocidade de 11 mil metros por segundo. Creio bem que o conseguiremos. Mas, por ora, vamos examinar as velocidades obtidas até aqui. O general Morgan poderá nos esclarecer a esse respeito.

– Tanto mais facilmente – replicou o general – quanto, durante a guerra, fui membro da comissão de experiências. Direi então que os canhões de cem de Dahlgreen, com alcance de 5 mil metros, imprimiam a seu projétil uma velocidade inicial de 460 metros por segundo.

– Certo. E a Columbiad Rodman[24]? – perguntou o presidente.

– A Columbiad Rodman, testada no Forte Hamilton, perto de Nova Iorque, lançava um projétil de meia tonelada a uma distância de quase dez mil metros, com uma velocidade de 732 metros por segundo, resultado que Armstrong e Pallisser jamais conseguiram na Inglaterra.

– Ah, os ingleses! – suspirou J.-T. Maston, voltando para o horizonte oriental seu gancho ameaçador.

– Então – perguntou Barbicane – esses 732 metros são a velocidade máxima alcançada até hoje?

– Sim – respondeu Morgan.

– Eu diria, no entanto – interveio J.-T. Maston –, que se meu morteiro não houvesse explodido...

– Mas explodiu – comentou Barbicane, com um gesto benevolente. – Tomemos então, por ponto de partida, essa velocidade de 732 metros. Precisaremos multiplicá-la por vinte. Reservando para outra sessão o estudo dos meios destinados a produzir essa velocidade, quero

---

24 Os americanos davam o nome de Columbiad a esses enormes engenhos de destruição. (N.O.)

que atentem, meus caros colegas, para as dimensões que convém dar ao projétil. Bem sabem que, agora, não se trata de projéteis com peso máximo de meia tonelada!

– Por que não? – quis saber o major.

– Porque nosso projétil – respondeu vivamente J.-T. Maston – deve ser grande o bastante para chamar a atenção dos habitantes da lua, caso existam.

– Sim – disse Barbicane. – E por outro motivo, mais importante ainda.

– Que quer dizer, Barbicane? – estranhou o major.

– Quero dizer que não basta enviar um projétil e esquecê-lo. Deveremos segui-lo durante todo o seu percurso até o momento em que atingir o alvo.

– Hein? – exclamaram o general e o major, um tanto surpresos com a proposta.

– Do contrário – continuou Barbicane, seguro de si –, nossa experiência certamente não produzirá nenhum resultado.

– Mas, então – perguntou o major –, quer dar ao projétil dimensões enormes?

– Não. Ouçam bem. Sabem que os instrumentos de óptica adquiriram grande perfeição. Com alguns telescópios, já conseguimos obter aumentos de seis mil vezes e aproximar a lua a 65 quilômetros. Ora, a essa distância, objetos com dezoito metros de lado se tornam perfeitamente visíveis. Se ainda não aumentamos o alcance dos telescópios foi porque isso prejudicaria a nitidez; e a lua, sendo apenas um espelho refletor, não envia luz suficientemente intensa para podermos ir além desse limite.

– Então o que fará? – perguntou o general. – Dará ao nosso projétil um diâmetro de dezoito metros?

– De modo algum!

– Então tornará a lua mais luminosa?

– Exatamente.

– Isso já é demais! – espantou-se J.-T. Maston.

– O senhor quer dizer simples demais – respondeu Barbicane. – Com efeito, se eu conseguir diminuir a espessura da atmosfera atravessada pela luz da lua, essa luz não ficará mais intensa?

– Evidentemente.

– Pois bem! A fim de obter esse resultado, só terei de instalar um telescópio numa montanha elevada. E é o que faremos.

– Eu me entrego! – brincou o major. – O senhor sabe simplificar as coisas! E que aumento espera obter dessa maneira?

– Um aumento de 48 mil vezes, o que trará a lua para apenas oito quilômetros. Assim, os objetos só precisarão ter 2,7 metros de diâmetro.

– Perfeito! – gritou J.-T. Maston. – De modo que nosso projétil terá essa medida?

– Exatamente.

– Permita-me dizer-lhe, no entanto – interveio o major Elphiston –, que seu peso será tal...

– Ora, major – disse Barbicane –, antes de discutirmos o peso, permita-me lembrar-lhe que nossos pais faziam maravilhas nessa área. Longe de mim insinuar que a balística não evoluiu, mas é bom ter em mente que, desde a Idade Média, são obtidos resultados espantosos. Mais espantosos até que os nossos, ouso dizer.

– Céus! – exclamou Morgan.

– Justifique suas palavras! – bradou vivamente J.-T. Maston.

– Nada mais fácil – replicou Barbicane. – Tenho muitos exemplos em apoio de minha declaração. Assim, no sítio de Constantinopla por Maomé II, em 1453, lançaram-se balas de pedra que pesavam oitocentos quilos e deviam ter um belo tamanho.

– Oh! – exclamou o major. – Oitocentos quilos! É um valor alto!

– Em Malta, no tempo dos cavaleiros, um canhão do Forte Santelmo disparava projéteis de 1.100 quilos.

– Não é possível!

– E segundo um historiador francês, no tempo de Luís XI, um morteiro lançou uma bomba de apenas 230 quilos. Mas essa bomba, partindo da Bastilha, lugar onde os loucos prendiam os sábios, foi cair em Charenton, lugar onde os sábios prendem os loucos.

– Que beleza! – exultou J.-T. Maston.

– E depois, que vimos? Os canhões de Armstrong lançando projéteis de 230 quilos, e as Columbiads Rodman, de meia tonelada! Parece então que, ganhando em alcance, perderam em peso. Ora, se insistirmos nesse aspecto, chegaremos com o progresso da ciência a decuplicar o peso das balas de Maomé II e dos cavaleiros de Malta.

– É claro – disse o major. – Mas que metal empregaremos no projétil?

– Ferro fundido, pura e simplesmente – disse o general Morgan.

– *Pff*... Ferro fundido! – exclamou J.-T. Maston com profundo desdém. – Coisa muito comum para uma bala destinada a chegar à lua...

– Não exageremos, meu caro amigo – respondeu Morgan. – O ferro fundido bastará.

– Contudo – interveio o major Elphiston –, dado que o peso é proporcional a seu volume, um projétil de ferro fundido, medindo 2,7 metros de diâmetro, será extremamente pesado!

– Se for compacto. Se for oco, não – explicou Barbicane.

– Oco! Mas então será um obus!

– Onde poderemos colocar mensagens – replicou J.-T. Maston. – E amostras de nossos produtos terrestres!

– Um obus, sim – continuou Barbicane. – Isso é absolutamente necessário. Uma bala compacta de 275 centímetros pesaria mais de noventa mil quilos, o que evidentemente é excessivo. No entanto, como é preciso dar alguma estabilidade ao projétil, sugiro um peso de 2.270 quilos.

– E qual seria a espessura das paredes? – perguntou o major.

– Se seguirmos a proporção regulamentar – respondeu Morgan –, um diâmetro de 275 centímetros exigirá paredes de 60 centímetros, pelo menos.

– Isso seria muito – observou Barbicane. – Vejam bem, aqui não se trata de um projétil destinado a furar placas metálicas. Então, bastará lhe dar paredes fortes o suficiente para resistir à pressão do gás da pólvora. O problema, então, é este: que espessura deve ter um obus de ferro fundido para pesar apenas nove mil quilos? Nosso hábil calculista, o bravo Maston, irá logo nos responder.

– Nada mais fácil – replicou o honorável secretário do comitê.

E, dizendo isso, traçou algumas fórmulas algébricas no papel; apareceram sob sua pena os "π" e os "x" elevados à décima potência, além de uma raiz cúbica. Disse então:

– As paredes terão apenas cinco centímetros de espessura.

– Será suficiente? – perguntou o major, com ar de dúvida.

– Não – respondeu o presidente Barbicane. – É claro que não.

– Então, que fazer? – continuou Elphiston, com ar embaraçado.

– Empregar outro metal que não o ferro fundido.

– Cobre? – indagou Morgan.

– Não, também é muito pesado. Tenho algo melhor a propor.

– O quê? – perguntou o major.

– Alumínio – respondeu Barbicane.

– Alumínio! – espantaram-se os três colegas do presidente.

– Sim, amigos. Sabem que um ilustre químico francês, Henri Sainte-Claire Deville, conseguiu, em 1854, obter o alumínio em massa compacta. Ora, esse precioso metal tem a brancura da prata, a inalterabilidade do ouro, a tenacidade do ferro, a maleabilidade do cobre e a leveza do vidro; é facilmente trabalhado, existe em enorme quantidade na natureza, pois forma a base da maior parte das rochas, é três vezes mais leve que o ferro e parece ter sido criado expressamente para nos fornecer a matéria-prima de nosso projétil!

– Viva o alumínio! – bradou o secretário do comitê, sempre barulhento em suas horas de entusiasmo.

– Mas, presidente – objetou o major –, o preço do alumínio não será alto demais?

– Já foi – respondeu Barbicane. – Logo após sua descoberta, o quilo de alumínio custava de 520 a 560 dólares; depois baixou para 54 e hoje pode ser comprado por dezoito.

– Mas dezoito dólares por quilo – replicou o major, que não se rendia facilmente – ainda é um preço enorme!

– Sem dúvida, meu caro major, mas não proibitivo.

– E quanto pesará o projétil? – perguntou Morgan.

– Eis o resultado de meus cálculos – respondeu Barbicane. – Um projétil de 274 centímetros de diâmetro e trinta de espessura pesaria, em ferro fundido, um pouco mais de trinta mil quilos; em alumínio fundido, esse peso ficaria reduzido a menos de nove mil.

– Perfeito! – exultou Maston. – Isso cabe bem em nosso programa.

– Perfeito! Perfeito! – secundou o major. – Entretanto, a dezoito dólares o quilo, o projétil custará...

– Cerca de 162 mil dólares. Sim, eu sei. Mas não temam, meus amigos, não faltará dinheiro para nosso empreendimento, garanto-lhes.

– Choverá em nossa caixa – replicou J.-T. Maston.

– E então, que pensam do alumínio? – indagou o presidente.

– Adotado – responderam os três membros do comitê em uníssono.

– Já a forma do projétil – prosseguiu Barbicane – não importa muito, pois, ultrapassada a atmosfera, ele se achará no vácuo. Proponho então o projétil redondo, que girará em torno de si mesmo, caso queira, e se comportará de acordo com sua fantasia.

Assim terminou a primeira sessão do comitê. O problema do projétil estava definitivamente resolvido, e J.-T. Maston gostou muito da ideia de mandar uma bala de alumínio para os selenitas, "o que lhes dará uma agradável ideia dos habitantes da Terra"!

História do canhão

As resoluções tomadas nessa sessão produziram um grande efeito lá fora. Algumas pessoas medrosas se assustavam um pouco diante da ideia de uma bala de trinta mil quilos lançada através do espaço. Outras perguntavam que canhão conseguiria imprimir uma velocidade inicial suficiente a semelhante massa. A ata da segunda sessão do comitê devia responder triunfantemente a essas questões.

No outro dia, à noite, os quatro membros do Gun Club se sentaram diante de novas montanhas de sanduíches e de um verdadeiro oceano de chá. A discussão logo retomou seu curso e, dessa vez, sem preâmbulo.

– Meus caros colegas – disse Barbicane –, vamos tratar agora do canhão a ser construído, seu tamanho, sua forma, sua composição e seu peso. Sem dúvida, apresentaremos dimensões gigantescas, mas, por maiores que sejam as dificuldades, nosso gênio industrial as superará com facilidade. Portanto, ouçam-me e não poupem objeções à queima-roupa. Elas não me intimidam.

Um rosnado de aprovação acolheu essas palavras.

– Não esqueçamos – continuou Barbicane – o ponto a que nossa discussão nos conduziu ontem. Hoje, o problema é o seguinte: imprimir uma velocidade inicial de onze mil metros por segundo a um obus de 274 centímetros de diâmetro e nove mil quilos de peso.

– Isso é realmente um problema – observou o major Elphiston.

– Continuo. Quando um projétil é lançado ao espaço, que acontece? É solicitado por três forças independentes, a resistência do meio, a atração da Terra e a força de impulsão que o anima. Examinemos essas três forças. A resistência do meio, isto é, do ar, será pouco importante. Com efeito, a atmosfera terrestre tem apenas 65 quilômetros. Ora, a uma velocidade de onze mil quilômetros, o projétil a atravessará em cinco segundos, tempo muito curto para que a resistência do meio seja decisiva. Passemos à atração da Terra, isto é, ao peso do obus. Sabemos que esse peso diminuirá na razão inversa do quadrado das distâncias, e a física nos ensina que, quando um corpo abandonado a si mesmo cai na superfície da Terra, sua queda é de 4,90 metros no primeiro segundo; e se esse corpo percorrer 414 mil quilômetros, ou seja, a distância a que se acha a lua, sua queda será reduzida a um milímetro e um terço ou 590 milionésimos de uma linha no primeiro segundo. Isso é quase a imobilidade. Trata-se então de vencer progressivamente a ação do peso. Mas como? Pela força da impulsão.

– Eis a dificuldade – observou o major.

– Sim, eis a dificuldade – prosseguiu Barbicane. – Mas nós a superaremos, pois a força de impulsão de que precisamos resultará do comprimento do canhão e da quantidade de pólvora empregada, sendo que esta ficará limitada pela resistência daquele. Assim, ocupemo-nos hoje das dimensões do canhão, sabendo desde já que podemos determiná-las em condições de resistência por assim dizer infinitas, pois ele não deverá ser manobrado.

– Tudo isso é evidente – disse o general.

– Até hoje – continuou Barbicane –, os canhões mais compridos, nossas enormes Columbiads, nunca ultrapassaram sete metros e meio. Portanto, assombraremos muita gente com as dimensões que seremos forçados a adotar.

– Oh, sem dúvida! – exclamou J.-T. Maston. – Por mim, teríamos um canhão de meio quilômetro de comprimento!

– Meio quilômetro! – bradaram o major e o general.

– Sim, meio quilômetro. E ainda seria muito curto.

– Vamos, Maston, não exagere – ponderou Morgan.

– Eu não estou exagerando! – replicou o buliçoso secretário. – Verdadeiramente, não sei por que dizem isso.

– Porque está indo longe demais!

– Pois eu afirmo, senhor – replicou J.-T. Maston, enfunando-se todo –, que um artilheiro é como um projétil, nunca vai longe o suficiente!

A fim de evitar que a discussão desandasse em conflito de personalidades, o presidente interveio:

– Calma, meus amigos. Raciocinemos. Será preciso, é claro, um canhão bem comprido, pois seu comprimento acelerará a expulsão dos gases acumulados sob o projétil, mas é inútil ultrapassar certos limites.

– Perfeitamente – disse o major.

– Quais são as regras usadas em casos semelhantes? Em geral, o comprimento do canhão é de vinte a vinte e cinco vezes o diâmetro do projétil, pesando de 235 a 240 vezes mais que ele.

– Não basta! – gritou J.-T. Maston impetuosamente.

– Sei disso, meu amigo. Com efeito, seguindo essa proporção, para um projétil de 2,7 metros e nove mil quilos, o canhão teria um comprimento de 67 metros e um peso de 3.265.000 quilos.

– Ridículo! – resmungou J.-T. Maston. – Mais vale usar uma pistola!

– Também acho – disse Barbicane. – Por isso, sugiro quadruplicar esse comprimento e construir um canhão de 270 metros.

O general e o major fizeram algumas objeções, mas a proposta, entusiasticamente apoiada pelo secretário do Gun Club, foi adotada em definitivo.

– Agora – disse Elphiston –, qual será a espessura das paredes?

– Será de 1,8 metro – respondeu Barbicane.

– E está pensando em montar uma estrutura dessa numa carreta? – perguntou o major.

– Seria soberbo! – exclamou J.-T. Maston.

– Mas impraticável – respondeu Barbicane. – Não, vou pousar o canhão no próprio solo, prendê-lo com aros de ferro forjado e rodeá-lo com um grosso anteparo de pedras e cal, para que ele participe de toda a resistência do terreno em volta. Uma vez fundida a peça, a alma será cuidadosamente perfurada e calibrada para anular o vento[25] do projétil. Assim, não haverá desperdício de gás e toda a força expansiva da pólvora contribuirá para o impulso.

– Hurra! Hurra! – gritou J.-T. Maston. – Temos nossa peça!

– Ainda não – disse Barbicane, acalmando com um gesto de mão seu impaciente amigo.

– Por quê?

– Porque ainda não discutimos sua forma. Será um canhão, um obuseiro ou um morteiro?

– Um canhão – propôs Morgan.

– Um obuseiro – sugeriu o major.

– Um morteiro! – bradou J.-T. Morgan.

Uma nova discussão, muito acalorada, ia começar, com cada qual preconizando sua arma favorita, quando o presidente interveio:

– Meus amigos, vou pô-los todos de acordo. Nossa Columbiad será essas três bocas de fogo ao mesmo tempo. Será um canhão, pois a câmara de pólvora terá o mesmo diâmetro que a alma. Será um obuseiro,

25 É o espaço que existe às vezes entre o projétil e a alma do canhão. (N.O.)

pois lançará um obus. E será também um morteiro, pois, apontado num ângulo de 90 graus, sem recuo possível, firmemente preso ao solo, comunicará ao projétil todo o poder de impulsão acumulado em seus flancos.

– Adotado, adotado – concordaram os membros do comitê.

– Eu tenho uma dúvida – disse Elphiston. – Esse canobusomorteiro será raiado?

– Não, não – respondeu Barbicane. – Precisamos de uma velocidade inicial enorme, e os senhores sabem bem que o projétil sai menos rapidamente dos canhões raiados que dos de alma lisa.

– É verdade.

– Então, temos nossa peça! – repetiu J.-T. Morgan.

– De novo, ainda não – replicou o presidente.

– Por quê?

– Porque ainda não sabemos de que metal ele será feito.

– Vamos decidir isso logo.

– É o que eu ia propor.

Os quatro membros do Comitê se fartaram, cada um, com uma dúzia de sanduíches e um bule de chá. Em seguida, a discussão recomeçou.

– Meus bravos colegas – disse Barbicane –, nosso canhão deve ser resistente, sólido, imune ao calor, indestrutível e inoxidável em presença de qualquer ácido corrosivo.

– Quanto a isso, não há dúvida – replicou o major. – E, como teremos de empregar uma quantidade considerável de metal, a escolha não deve nos embaraçar.

– Então – disse Morgan –, proponho para a fabricação da Columbiad a melhor liga conhecida até agora, isto é, cem partes de cobre, doze de estanho e seis de latão.

– Meus amigos – continuou o presidente –, reconheço que essa composição deu resultados excelentes. Mas, em nosso caso, custaria muito caro e seria de emprego difícil. Penso, pois, que deveremos escolher um material excelente, embora barato, como o ferro fundido. Não pensa assim, major?

– Perfeitamente – respondeu Elphiston.

– Com efeito – prosseguiu Barbicane –, o ferro custa dez vezes menos que o bronze. É fácil de fundir, pode ser vertido em moldes de areia e sua manipulação é rápida. Isso significa, portanto, economia de dinheiro e tempo. De resto, é um material muito bom e me lembro de que, durante a guerra, no cerco de Atlanta, peças de ferro fundido atiraram mil projéteis a cada vinte minutos sem nada sofrer.

– No entanto, o ferro fundido é muito quebradiço – objetou Morgan.

– Sim, mas também é muito resistente. E eu lhe garanto que não iremos explodir.

– Pode-se explodir e ser honesto – sentenciou J.-T. Maston.

– Evidentemente – respondeu Barbicane. – Vou, pois, pedir ao nosso digno secretário que calcule o peso de um canhão de ferro fundido com 275 metros de comprimento, diâmetro interno de 2,7 metros e paredes de 1,8 metro de espessura.

– Agora mesmo! – respondeu J.-T. Morgan.

E, tal como havia feito na véspera, alinhou suas fórmulas com maravilhosa facilidade e disse ao fim de um minuto:

– Esse canhão pesará 68.040.000 quilos.

– A vinte centavos o quilo, quanto custará?

– Dois milhões, quinhentos e dez mil, setecentos e um dólares.

Ao mesmo tempo, J.-T. Maston, o major e o general olharam para Barbicane com ar inquieto.

– Muito bem, senhores – disse o presidente –, repetirei o que lhes assegurei ontem: fiquem tranquilos, os milhões não nos faltarão!

Após essa garantia de seu presidente, o comitê se separou, marcando para o dia seguinte a próxima sessão.

A questão da pólvora

Restava a tratar a questão da pólvora, última decisão que o povo aguardava com ansiedade. Determinados a grossura do projétil e o comprimento do canhão, qual seria a quantidade de pólvora necessária para produzir o impulso? Esse agente terrível, mas cujos efeitos o homem conseguiu dominar, seria chamado a desempenhar seu papel em proporções nunca vistas.

Dizem-nos, e todos o repetem de bom grado, que a pólvora foi inventada no século XIV pelo monge Schwartz, o qual pagou com a vida sua grande descoberta. Mas hoje está praticamente provado que essa história deve ser inserida entre as lendas da Idade Média. A pólvora não foi inventada por ninguém, deriva diretamente do fogo grego, composto como ela de enxofre e salitre. A diferença é que essas misturas provocavam apenas estalidos e, mais tarde, transformaram-se em explosivos.

Mas, se os eruditos sabem perfeitamente que a história da pólvora é falsa, pouca gente se dá conta de sua força mecânica. E isso deve ser considerado para compreendermos a importância da questão submetida ao comitê.

Assim, um litro de pólvora pesa cerca de 900 gramas; produz, ao inflamar-se, 400 litros de gás que, liberado e sob a ação de uma temperatura de 2.400 graus, ocupa um espaço de 4 mil litros. Portanto, o volume da pólvora está, para os volumes dos gases produzidos por sua deflagração, assim como um está para quatro mil. Julgue-se então o poder desses gases quando ficam comprimidos num espaço quatro mil vezes menor.

Eis o que sabiam perfeitamente os membros do comitê quando, no dia seguinte, se reuniram de novo. Barbicane deu a palavra ao major Elphiston, que fora diretor de pólvoras durante a guerra.

– Meus caros amigos – começou o eminente químico –, vamos de início a alguns números irrecusáveis que nos servirão de base. O projétil de 24, de que nos falou anteontem o honorável J.-T. Maston em termos tão poéticos, é lançado da boca de fogo por apenas sete quilos de pólvora.

– Tem certeza disso? – perguntou Barbicane.

– Certeza absoluta – garantiu o major. – O canhão Armstrong emprega somente 34 quilos para um projétil de 360 quilos e a Columbiad Rodman, 72 quilos para enviar, a dez quilômetros, sua bala de meia tonelada. Tais fatos não podem ser postos em dúvida, pois eu mesmo os colhi nas atas do Comitê de Artilharia.

– Perfeitamente – atalhou o general.

– Pois bem – continuou o major –, eis a consequência a tirar desses números: a quantidade de pólvora não aumenta com o peso do projétil. Com efeito, embora sejam necessários sete quilos de pólvora para um projétil de 24 (em outras palavras, se, nos canhões comuns, empregarmos uma quantidade de pólvora equivalente a dois terços do peso da bala), essa proporcionalidade não é constante. Calculem e verão que, para um projétil de meia tonelada, em lugar de 150 quilos de pólvora, usamos apenas 72.

– Aonde quer chegar? – perguntou o presidente.

– Se levar sua teoria ao extremo, meu caro major – interveio J.-T. Maston –, quando seu projétil estiver suficientemente pesado, não precisará mais usar pólvora.

– Meu amigo Maston é brincalhão até nas coisas sérias – replicou o major. – Mas fique tranquilo. Proporei quantidades de pólvora que satisfarão seu amor-próprio de artilheiro. Devo, porém, informar que, durante a guerra e para os canhões maiores, o peso da pólvora foi reduzido, após experiências, a um décimo do peso do projétil.

– Nada mais exato – disse Morgan. – Mas, antes de decidir a quantidade de pólvora necessária para dar o impulso, penso que seria bom escolhermos seu tipo.

– Empregaremos a pólvora grossa – respondeu o major. – Sua deflagração é mais rápida que a da pólvora fina.

– Sem dúvida – concordou Morgan. – No entanto, ela pode alterar a alma das peças.

– Bem, o que é inconveniente para um canhão destinado a um longo serviço não o é para nossa Columbiad. Não corremos nenhum risco de explosão, e a pólvora deve se inflamar instantaneamente para que seu efeito mecânico seja completo.

– Poderíamos – sugeriu J.-T. Maston – perfurar vários ouvidos, de modo a acender diversos pontos ao mesmo tempo.

– Sem dúvida – replicou Elphiston –, mas isso tornaria a manobra mais complicada. Volto, pois, à minha pólvora grossa, que não apresenta essas dificuldades.

– Seja, então – concordou o general.

– Para carregar sua Columbiad – continuou o major –, Rodman empregou pólvora de grãos grossos como castanhas, feita com carvão de salgueiro torrado em caldeiras de fundição. Era uma pólvora dura e brilhante, que não deixava traço nas mãos, continha grande proporção de hidrogênio e oxigênio, deflagrava de forma instantânea e, embora muito corrosiva, não deteriorava sensivelmente as bocas de fogo.

– Bem, parece-me – atalhou J.-T. Morgan – que não há razão para hesitar e que nossa escolha está feita.

– A menos que prefira pólvora de ouro – replicou o major, rindo, o que lhe valeu um gesto ameaçador do gancho de seu suscetível amigo.

Até então, Barbicane se mantivera fora da discussão. Deixava falar, ouvia. E, evidentemente, tinha uma ideia. Assim, limitou-se a dizer:

– Agora, meus amigos, que quantidade de pólvora sugerem?

Os três membros do Gun Club se entreolharam por um instante.

– Noventa mil quilos – disse por fim Morgan.

– Duzentos e vinte mil – replicou o major.

– Trezentos e sessenta mil! – bradou J.-T. Maston.

Dessa vez, Elphiston não ousou acusar seu colega de exagero. Com efeito, tratava-se de enviar à lua um projétil de nove mil quilos dando-lhe uma força inicial de onze mil metros por segundo. Assim, um momento de silêncio se seguiu à tríplice proposta dos três colegas.

Silêncio finalmente interrompido pelo presidente Barbicane.

– Meus bravos amigos – disse ele com voz tranquila –, parto do princípio de que a resistência de nosso canhão, construído dentro das condições desejadas, não tem limite. Vou, pois, surpreender o honorável J.-T. Maston dizendo-lhe que ele até foi tímido em seus cálculos e proporei dobrar seus 360 mil quilos de pólvora.

– Setecentos e vinte mil quilos! – exclamou J.-T. Maston, saltando da cadeira.

– Nada menos que isso.

– Mas então será preciso voltar ao meu canhão de oitocentos metros de comprimento.

– Evidentemente – concordou o major.

– Setecentos e vinte mil quilos de pólvora – ponderou o secretário do comitê – ocuparão um espaço de oitocentos metros cúbicos mais ou menos; ora, como seu canhão poderá conter dois mil metros cúbicos, ficará semicheio, e a alma não será longa o bastante para que a expansão do gás imprima ao projétil um impulso suficiente.

Não havia resposta para isso. J.-T. Maston dizia a verdade. Olharam para Barbicane.

– No entanto – continuou o presidente –, insisto nessa quantidade de pólvora. Pensem bem: 360 quilos de pólvora gerarão seis bilhões de litros de gás. Seis bilhões! Estão entendendo?

– E como faremos isso? – quis saber o general.

– Muito simples. Reduziremos essa enorme quantidade de pólvora conservando, ao mesmo tempo, sua potência mecânica.

– Sim, mas... como?

– Vou lhes dizer – respondeu simplesmente Barbicane.

Seus interlocutores o devoravam com os olhos.

– Na verdade – continuou ele –, não há nada mais simples que reduzir essa massa de pólvora a um volume quatro vezes menor. Os senhores conhecem a substância curiosa que constitui os tecidos elementares dos vegetais e que chamamos de celulose.

– Ah – disse o major –, agora o entendo, meu caro Barbicane!

– Essa substância – prosseguiu o presidente – pode ser obtida em estado de pureza absoluta de diversos corpos, principalmente do algodão, que nada mais é que a penugem dos grãos do algodoeiro. Ora, o algodão, combinado com ácido nítrico a frio, se transforma em uma substância praticamente insolúvel, combustível e explosiva. Há alguns anos, em 1832, um químico francês, Braconnot, descobriu-a e deu-lhe o nome de xiloidina. Em 1838, outro francês, Pelouze, estudou suas diversas propriedades, e finalmente, em 1846, Shonbein, professor de química na Basileia, sugeriu-a como pólvora para fins militares. Essa pólvora é o algodão nítrico...

– Ou piróxilo – emendou Elphiston.

– Ou fulmialgodão – completou Morgan.

– Não existe uma palavra americana para dar nome a essa descoberta? – resmungou J.-T. Maston, movido por um vivo sentimento de amor-próprio nacional.

– Infelizmente, não – respondeu o major.

– No entanto, para agradar a Maston – interveio o presidente –, direi que os trabalhos de um de nossos concidadãos podem ser associados ao estudo da celulose, pois o colódio, um dos principais agentes da fotografia, é apenas piróxilo dissolvido em éter misturado com álcool e foi descoberto por Maynard, então estudante de Medicina em Boston.

– Hurra para Maynard e para o fulmialgodão! – gritou o barulhento secretário do Gun Club.

– Volto ao piróxilo – continuou Barbicane. – Conhecem suas propriedades, que o tornarão muito precioso para nós. É preparado com a maior facilidade. Mergulha-se o algodão em ácido nítrico fumegante[26] durante quinze minutos, lava-se com água abundante, seca-se... e pronto!

– De fato, nada mais simples – reconheceu Morgan.

– Além disso, o piróxilo não se altera com a umidade, o que é uma enorme vantagem em nosso caso, pois serão necessários vários dias para carregar o canhão. Inflama-se a 170 graus, e não a 240, sendo sua deflagração tão sutil que podemos acendê-lo em cima de pólvora comum sem que esta tenha tempo de pegar fogo.

– Perfeito – disse o major.

– Só que é mais caro.

– Que importa? – atalhou J.-T. Maston.

– Por fim, comunica aos projéteis uma velocidade quatro vezes superior à da pólvora. Direi mesmo que, se lhe acrescentarmos oito décimos

26 Assim chamado porque, em contato com o ar úmido, ele espalha uma densa fumaça esbranquiçada. (N.O.)

de seu peso em nitrato de potássio, sua potência expansiva aumentará em grande proporção.

– Isso será necessário? – perguntou o major.

– Acho que não – respondeu Barbicane. – Desse modo, em vez de 720 mil quilos de pólvora, teremos apenas 160 mil quilos de fulmialgodão. E, como podemos sem perigo comprimir 225 quilos de algodão em 75 centímetros cúbicos, esse material ocupará apenas uma altura de sessenta metros na Columbiad. Desse modo, o projétil terá mais de 230 metros de alma a percorrer sob o efeito de seis bilhões de litros de gás, antes de alçar voo rumo ao astro das noites!

Diante dessas palavras, J.-T. Maston não pôde conter sua emoção: atirou-se nos braços do amigo com a violência de um projétil, e o teria esmagado se Barbicane não fosse à prova de balas.

Esse incidente encerrou a terceira sessão do comitê. Barbicane e seus audaciosos colegas, aos quais nada parecia impossível, acabavam de resolver a difícil questão do projétil, do canhão e da pólvora. O plano estava feito; só restava executá-lo.

– Simples detalhe, uma bagatela – assegurou J.-T. Maston.

Nota: Nessa discussão, o presidente Barbicane reivindica para um de seus compatriotas a invenção do colódio. É um erro (queira J.-T. Maston nos perdoar!) que vem da semelhança de dois nomes.

Em 1847, Maynard, estudante de Medicina em Boston, teve realmente a ideia de empregar o colódio no tratamento de feridas, mas o colódio era conhecido desde 1846. É a um francês, espírito dos mais eminentes, um cientista ao mesmo tempo pintor, poeta, filósofo, helenista e químico, Louis Menard, que cabe a honra dessa grande descoberta. J. V.

Um inimigo em vinte e cinco milhões de amigos

O público americano se interessava vivamente pelos mais insignificantes detalhes do empreendimento do Gun Club. Acompanhava dia a dia as discussões do comitê. Os mais simples preparativos dessa grande experiência, as questões matemáticas que ela suscitava, as dificuldades mecânicas a resolver, em suma, sua "realização", eis o que o apaixonava no mais alto grau.

Mais de um ano decorreria entre o começo dos trabalhos e sua conclusão. Contudo, esse lapso de tempo não ficaria vazio de emoções: o local a ser escolhido para a perfuração, a construção do molde, a fundição da Columbiad, seu carregamento perigosíssimo, tudo isso era mais que o necessário para excitar a curiosidade pública. O projétil, uma vez lançado, escaparia aos olhares em alguns décimos de segundo; o que seria dele, como se comportaria no espaço, de que modo chegaria à lua, isso só um pequeno número de privilegiados veria com seus próprios olhos. Portanto, os preparativos da experiência e os detalhes precisos da execução é que constituíam no momento o verdadeiro interesse.

Porém, o atrativo puramente científico do empreendimento foi, de maneira inesperada, ofuscado por um incidente.

Sabe-se quão numerosas foram as legiões de admiradores e amigos que o projeto de Barbicane havia reunido à sua volta. No entanto, por mais digna, por mais extraordinária que fosse, essa maioria não devia ser unanimidade. Um único homem em todos os Estados da União protestou contra a tentativa do Gun Club, não perdendo ocasião de criticá-la virulentamente. E a natureza é feita de tal maneira que Barbicane se mostrou mais sensível à oposição de um só que aos aplausos de muitos.

No entanto, sabia bem o motivo de semelhante antipatia, de onde vinha essa inimizade solitária: era pessoal e de longa data, nascida de uma rivalidade de amor-próprio.

Esse inimigo perseverante... o presidente do Gun Club nunca o vira! E felizmente, pois o encontro dos dois homens decerto acarretaria desagradáveis consequências. Esse rival era um cientista como Barbicane, uma natureza orgulhosa, ousada, convicta, violenta – um ianque puro. Chamavam-no de capitão Nicholl. Morava na Filadélfia.

Ninguém ignora a curiosa luta travada, durante a guerra federal, entre o projétil e a blindagem dos navios encouraçados. Aquele, querendo perfurar estes; estes, decididos a não se deixar perfurar. Daí uma transformação radical da marinha em Estados dos dois continentes. A bala e a chapa metálica lutaram com um encarniçamento sem precedentes, uma se avolumando, a outra se espessando em proporção constante. Os navios, armados de canhões formidáveis, iam para a refrega ao abrigo de sua carapaça invulnerável. O *Merrimack*, o *Monitor*, o *Tennessee*, o *Weckausen*, navios da Marinha americana, disparavam projéteis enormes após se encouraçar contra os projéteis dos adversários. Faziam aos outros o que não desejavam que lhes fosse feito, princípio imoral que constitui a base de toda a arte da guerra.

Ora, se Barbicane foi um grande fundidor de projéteis, Nicholl foi um grande forjador de chapas metálicas. Um fundia dia e noite em

Baltimore, o outro forjava noite e dia em Filadélfia, cada qual seguindo uma linha de ideias essencialmente oposta.

Tão logo Barbicane inventava um novo projétil, Nicholl inventava uma nova chapa. O presidente do Gun Club passava a vida abrindo rombos, o capitão fazia de tudo para impedi-lo disso. Daí uma rivalidade constante, que chegou ao nível pessoal. Nicholl aparecia nos sonhos de Barbicane sob a forma de uma couraça impenetrável, contra a qual ele esbarrava, e Barbicane, nos sonhos de Nicholl, surgia como um projétil que o atravessava de lado a lado.

No entanto, embora seguissem linhas divergentes, esses cientistas acabariam por se encontrar a despeito de todos os axiomas geométricos – mas seria no campo do duelo. Felizmente para esses cidadãos tão úteis a seu país, uma distância de pelo menos oitenta quilômetros os separava, e os amigos atulharam o caminho de tantos obstáculos que eles nunca se viram.

Mas qual dos dois inventores tinha levado a melhor? Não se sabia. Os resultados obtidos tornaram difícil uma apreciação justa. Parecia, no entanto, que no final a couraça deveria curvar-se ao projétil.

Os homens competentes, porém, tinham lá suas dúvidas. Nas últimas experiências, os projéteis cilíndrico-cônicos de Barbicane foram se fixar como alfinetes nas placas de Nicholl. Nesse dia, o forjador de Filadélfia acreditou-se vitorioso e só sentiu desprezo por seu rival; mas, quando este substituiu mais tarde as balas cônicas por simples obuses de 240 quilos, o capitão teve de baixar a crista. Com efeito, esses projéteis, embora animados de uma velocidade medíocre[27], romperam, furaram, despedaçaram as placas do melhor metal.

Estavam nisso as coisas, com a vitória pendendo para o projétil, quando a guerra acabou no mesmo dia em que Nicholl terminava uma nova couraça de aço forjado! Era uma obra-prima em seu gênero; desafiava todos os projéteis do mundo. O capitão mandou transportá-la para o polígono de Washington e desafiou o presidente do Gun Club a

27 O peso da pólvora era a décima segunda parte do peso do obus. (N.O.)

rompê-la. Barbicane, considerando que a paz havia sido assinada, não quis tentar a experiência.

Então Nicholl, furioso, se ofereceu para expor sua chapa ao impacto das balas mais inverossímeis – compactas, ocas, redondas, cônicas. Barbicane, que obviamente não queria comprometer seu último sucesso, recusou-se.

Nicholl, irritadíssimo com essa teimosia inqualificável, resolveu tentar o rival dando-lhe todas as vantagens. Propôs instalar a chapa a 180 metros do canhão. Barbicane obstinava-se em sua recusa. A noventa metros? Nem a sessenta.

– A quarenta, então? – desesperou-se o capitão pela voz dos jornais. – Ou a vinte! Ficarei atrás da chapa!

Barbicane mandou responder que, mesmo se o capitão Nicholl ficasse na frente, não dispararia.

A essa réplica, Nicholl não se conteve. Levou tudo para a esfera pessoal. Insinuou que a covardia é indivisível; que quem se recusa a atirar com um canhão sem dúvida está com medo; que os artilheiros, combatendo agora a doze quilômetros de distância, substituíram prudentemente a coragem individual por fórmulas matemáticas, havendo, além do mais, tanta bravura em esperar com tranquilidade uma bala por trás de uma chapa quanto em enviá-la segundo todas as regras da arte.

Barbicane não deu ouvidos a essas insinuações. Talvez mesmo nem soubesse delas, pois no momento estava inteiramente absorvido nos cálculos de seu grande empreendimento.

Quando fez sua famosa comunicação ao Gun Club, a cólera do capitão Nicholl chegou ao paroxismo. Neste se misturava uma inveja suprema a um sentimento de absoluta impotência! Como inventar algo melhor que essa Columbiad de 270 metros? Que couraça poderia resistir a um projétil de nove mil quilos? De início, Nicholl se sentiu aterrado, anulado, esmagado por esse "disparo de canhão"; mas depois se endireitou e resolveu sufocar a proposta sob o peso de seus próprios argumentos.

Assim, passou a atacar violentamente os trabalhos do Gun Club, publicando inúmeras cartas que os jornais não se recusaram a reproduzir. Tentou desmantelar cientificamente a obra de Barbicane. Iniciada a disputa, invocou a seu favor razões de toda ordem, com frequência capciosas e de má-fé, convém reconhecer.

De início, Barbicane foi furiosamente atacado em seus números; Nicholl tentou provar por a + b a falsidade de suas fórmulas e acusou-o de ignorar os princípios rudimentares da balística. Entre outros erros, e de acordo com seus próprios cálculos, disse ser absolutamente impossível imprimir a um corpo a velocidade de onze mil metros por segundo; sustentou, de álgebra na mão, que mesmo a essa velocidade um projétil com semelhante peso jamais ultrapassaria os limites da atmosfera terrestre! Não alcançaria sequer 35 quilômetros! E mais: ainda que obtivesse essa velocidade (e ainda que ela fosse suficiente), o obus não resistiria à pressão dos gases produzidos pela combustão de 270 mil quilos de pólvora. Mesmo que resistisse, não suportaria semelhante temperatura e se fundiria à saída da Columbiad, caindo como chuva incandescente sobre a cabeça dos incautos espectadores.

Barbicane deu de ombros a esses ataques e continuou trabalhando.

Então Nicholl passou a encarar a questão de outro modo; sem mencionar sua inutilidade sob todos os pontos de vista, considerou a experiência extremamente perigosa, tanto para os cidadãos que autorizassem com sua presença um espetáculo tão condenável quanto para as cidades que ficassem nas imediações desse deplorável canhão. Observou também que, se o projétil não atingisse o alvo, coisa sem dúvida alguma impossível, cairia evidentemente sobre a Terra, e a queda de tamanha massa, multiplicada pelo quadrado de sua velocidade, provocaria danos em algum ponto do globo. Portanto, em tais circunstâncias e sem levar em conta os direitos dos cidadãos livres, esse era um caso que exigia a intervenção do governo, pois o prazer de um só não devia comprometer a segurança de todos.

Vê-se a que exageros o capitão Nicholl se deixava conduzir. Mas, como fosse só ele a sustentar esse ponto de vista, ninguém deu atenção às suas malfadadas profecias. Deixaram-no espernear e esgoelar à vontade, já que assim o desejava. Era o defensor de uma causa perdida; escutavam-no, mas não o ouviam: e ele não arrebatou um único admirador ao presidente do Gun Club, que nem sequer se deu o trabalho de responder aos argumentos do rival.

Nicholl, acuado em sua última trincheira e não podendo nem mesmo se sacrificar pela causa que defendia, resolveu sacrificar seu dinheiro. Propôs então, publicamente, no *Enquirer* de Richmond, uma série de desafios concebidos nos seguintes termos e em proporção crescente:

Apostou:

1. Que os fundos necessários ao empreendimento do Gun Club não seriam obtidos: mil dólares.
2. Que a fundição de um canhão de 270 metros era impraticável e não se realizaria: dois mil dólares.
3. Que seria impossível carregar a Columbiad e que o piróxilo pegaria fogo espontaneamente sob a pressão do projétil: três mil dólares.
4. Que a Columbiad explodiria ao primeiro tiro: quatro mil dólares.
5. Que o projétil não alcançaria dez quilômetros e cairia alguns segundos após o disparo: cinco mil dólares.

Já se vê que era uma soma considerável e que o capitão se arriscava muito por causa de sua teimosia ferrenha.

Apesar do montante da aposta, em 19 de outubro ele recebeu uma carta lacrada de um laconismo soberbo e concebida nestes termos:

Baltimore, 18 de outubro.

Aceito.

Barbicane

Flórida e Texas

No entanto, um problema ainda não havia sido solucionado: era preciso escolher o local favorável à experiência. Conforme a recomendação do Observatório de Cambridge, o tiro devia ser dirigido perpendicularmente ao plano do horizonte, ou seja, na direção do zênite. Ora, a lua só alcança o zênite em lugares situados entre 0 e 28 graus de latitude – em outras palavras, sua declinação é de apenas 28 graus[28]. Cumpria, pois, determinar com exatidão o ponto do globo onde seria fundida a imensa Columbiad.

Assim, em 20 de outubro, com o Gun Club reunido em sessão magna, Barbicane exibiu aos membros um magnífico mapa dos Estados Unidos, de Z. Beltropp.

Entretanto, sem lhe dar tempo de desenrolá-lo, J.-T. Maston pediu a palavra com a veemência habitual e disse:

28 A declinação de um astro é sua latitude na esfera celeste; a ascensão direita é sua longitude. (N.O.)

– Honoráveis colegas, a questão que se vai tratar aqui tem enorme importância nacional e nos dará a oportunidade de praticar um grande ato de patriotismo.

Os membros do Gun Club se entreolharam sem entender aonde o orador queria chegar.

– Nenhum dos senhores – continuou ele – pensa, é claro, em empanar a glória de seu país. E se existe um direito que a União possa exigir é o de acolher em seu ventre o formidável canhão do Gun Club. Ora, nas circunstâncias atuais...

– Caro Maston... – interveio o presidente.

– Permitam-me desenvolver meu pensamento – insistiu o orador. – Nas circunstâncias atuais, dizia eu, precisamos escolher um lugar muito próximo do equador para que a experiência se realize em condições favoráveis…

– Se nos der licença... – disse Barbicane.

– Peço o livre debate das ideias – replicou o verborrágico J.-T. Maston. – E sustento que o território do qual partirá nosso glorioso projétil deva pertencer à União.

– Sem dúvida! – acudiram alguns membros.

– Pois bem! Como nossas fronteiras não são suficientemente extensas, pois ao Sul o oceano nos opõe uma barreira intransponível, e teremos de buscar, fora dos Estados Unidos e num país limítrofe, esse paralelo 28, vejo aí um *casus belli* legítimo. Sugiro então que declaremos guerra ao México!

– Oh, não, não! – gritou-se de todos os lados.

– Não? – retrucou J.-T. Maston. – Aí está uma palavra que eu jamais imaginei ouvir neste recinto!

– Escute...

– Jamais! Jamais! – bradou o fogoso orador. – Cedo ou tarde essa guerra ocorrerá e exijo que ela ocorra hoje mesmo.

– Maston – disse Barbicane, fazendo sua campainha vibrar com estardalhaço. – Retiro-lhe a palavra!

Maston quis continuar argumentando, mas alguns de seus colegas conseguiram contê-lo.

– Reconheço – continuou Barbicane – que a experiência só pode e deve ser tentada em solo da União. Mas, se meu impaciente amigo me houvesse deixado falar, se lançasse os olhos sobre um mapa, veria que é perfeitamente inútil declarar guerra a nossos vizinhos, pois algumas fronteiras dos Estados Unidos se estendem para além do paralelo 28. Sim, temos à nossa disposição toda a parte meridional do Texas e da Flórida.

O incidente terminou por aí, mas não foi sem desgosto que J.-T. Maston se deixou convencer. Decidiu-se então que a Columbiad seria fundida no chão do Texas ou da Flórida. Contudo, essa decisão iria suscitar uma rivalidade sem precedentes entre as cidades desses dois Estados.

O paralelo 28, em seu encontro com a costa americana, atravessa a Península da Flórida e divide-a em duas partes mais ou menos iguais. Em seguida, lançando-se no Golfo do México, cruza o arco formado pelas costas do Alabama, Mississípi e Luisiana. Então, atingindo o Texas, que corta em ângulo, prolonga-se pelo México, ultrapassa Sonora, transpõe a velha Califórnia e perde-se nas águas do Pacífico. Portanto, apenas algumas porções do Texas e da Flórida, situadas abaixo desse paralelo, atendiam às condições de latitude recomendadas pelo Observatório de Cambridge.

A Flórida, em sua parte meridional, não tem cidades importantes, somente uma série de fortes erguidos contra os índios nômades. Uma única aglomeração, Tampa-Town, poderia reivindicar foros de cidade e candidatar-se.

No Texas, ao contrário, elas são maiores e mais numerosas: Corpus Christi, no condado de Nueces, e as situadas ao longo do Rio Bravo, como Laredo, Comalites, San Ignacio (no Web), Roma, Rio Grande (no Starr), Edinburg (no Hidalgo), Santa Rita, El Panda e Brownsville (no Cameron), formam uma liga imponente contra as pretensões da Flórida.

Assim, mal se conheceu a decisão, deputados do Texas e da Flórida acorreram a Baltimore pelo caminho mais curto. A partir desse momento, o presidente Barbicane e os membros do Gun Club se viram assediados dia e noite pelas reivindicações mais estrondosas. Se sete cidades da Grécia disputavam a honra de ter sido o berço de Homero, aqui dois Estados inteiros ameaçavam brigar por causa de um canhão.

Viram-se então esses "irmãos ferozes" passear armados pelas ruas da cidade. A cada encontro, parecia iminente um conflito de consequências desastrosas. Felizmente, a prudência e a habilidade de Barbicane conjuraram esse perigo. Os rompantes pessoais encontraram um derivativo nos periódicos dos diversos Estados. Assim, o *New York Herald* e o *Tribune* apoiaram o Texas, enquanto o *Times* e o *American Review* fizeram causa comum com os deputados da Flórida. Os membros do Gun Club já não sabiam a quem dar ouvidos.

O Texas ostentava orgulhosamente seus 26 condados, que parecia dispor em bateria; mas a Flórida replicava que doze condados de um território seis vezes menor valiam mais que 26.

O Texas se gabava de seus 330 mil indígenas; a Flórida alegava ser mais povoada com seus 56 mil, por ser menos vasta. Além disso, acusava o Texas de ter epidemias de paludismo que lhe custavam, conforme o ano, milhares e milhares de habitantes. E não mentia.

Por sua vez, o Texas contra-atacava afirmando que, em matéria de paludismo, a Flórida não lhe ficava atrás e que era no mínimo um atrevimento de sua parte chamar os outros de territórios malsãos quando ela tinha a honra de possuir o "vômito negro" em estado endêmico. E não mentia.

"De resto", acrescentavam os texanos no *New York Herald*, "é preciso respeitar um Estado onde nasce o mais belo algodão da América, um Estado que produz o melhor carvalho verde para a construção de navios, um Estado que encerra minas soberbas de hulha e ferro, este com 50% de mineral puro."

O *American Review* retrucava que o solo da Flórida, sem ser tão rico, oferecia as melhores condições para a fundição e moldagem da Columbiad, pois era composto de areia e terra argilosa.

"Mas", volviam os texanos, "antes de fundir seja o que for em algum lugar, é preciso chegar lá; ora, as comunicações com a Flórida são difíceis, ao passo que a costa do Texas tem a Baía de Galveston, com sessenta quilômetros de extensão e capaz de abrigar as frotas do mundo inteiro."

"Essa é boa!", diziam os jornais devotados à Flórida. "De que servirá sua Baía de Galveston, situada abaixo do paralelo 29, se nós temos a do Espírito Santo, aberta precisamente no 28º grau de latitude e pela qual os navios chegam diretamente a Tampa-Town?"

"Bonita baía a de vocês", replicava o Texas, "quase toda coberta de areia!"

"Coberta de areia é a sua!", gritava a Flórida. "Então somos uma terra de selvagens? Por Deus, os seminoles ainda galopam por suas pradarias!"

"Ah, é? Por acaso seus apaches e comanches são civilizados?"

A guerra se arrastava assim havia vários dias quando a Flórida tentou levar o adversário para outro terreno. Um dia, o *Times* insinuou que, como o empreendimento era "essencialmente americano", só poderia ser conduzido num território "essencialmente americano".

A essas palavras, o Texas explodiu:

"Americanos! E acaso não o somos tanto quanto vocês? O Texas e a Flórida não foram, os dois, incorporados à União em 1845?"

"Sem dúvida", observou o *Times*. "Mas nós já éramos americanos em 1820."

"Acredito", respondeu o *Tribune*. "Depois de serem espanhóis ou ingleses durante duzentos anos, vocês foram vendidos aos Estados Unidos por cinco milhões de dólares!"

"E daí?", rosnava a Flórida. "Será isso motivo de vergonha? Em 1803, não compramos a Luisiana de Napoleão por dezesseis milhões de dólares?"

"Vergonha!", bradaram então os deputados do Texas. "Um pedaço miserável de terra como a Flórida ousa se comparar ao Texas, que em vez de se vender conquistou sua própria independência, expulsou os mexicanos em 2 de março de 1836 e se declarou república federativa após a vitória obtida por Samuel Houston contra as tropas de Santa Anna, às margens do San Jacinto! Um país, enfim, que se juntou voluntariamente aos Estados Unidos da América!"

"Porque tinha medo dos mexicanos!", zombou a Flórida.

Medo! Depois que essa palavra, verdadeiramente excessiva, foi pronunciada, a situação se tornou intolerável. Esperava-se que as duas partes se degolassem nas ruas de Baltimore. Foi preciso escoltar os deputados.

O presidente Barbicane já nem sabia mais o que fazer. As notas, os documentos, as cartas repletas de ameaças choviam em sua casa. Que partido deveria tomar? Do ponto de vista da adequação do solo, da facilidade de comunicações e da rapidez dos transportes, os direitos dos dois Estados eram notoriamente iguais. Quanto às personalidades políticas... não entravam no jogo.

Ora, essa hesitação embaraçosa já durava muito tempo quando Barbicane resolveu dar um fim nela; reuniu os colegas e a solução que lhes propôs foi profundamente sábia, como se verá.

– Examinando bem – disse ele – o que se passa entre a Flórida e o Texas, é evidente que as mesmas dificuldades surgirão entre as cidades do Estado favorecido. A rivalidade descerá do gênero à espécie, do Estado à cidade, eis tudo. Ora, o Texas possui onze cidades nas condições desejadas e elas disputarão a honra do empreendimento, criando novos embaraços para nós, enquanto a Flórida tem apenas uma. Escolhamos então a Flórida e Tampa-Town!

Essa decisão, tornada pública, consternou os deputados do Texas. Furiosos, dirigiram provocações pessoais a todos os membros do Gun Club. Os magistrados de Baltimore só tinham um partido a tomar e não vacilaram. Requisitando um trem especial, embarcaram nele, à força, os texanos, e os mandaram embora a uma velocidade de cinquenta quilômetros por hora.

Entretanto, por mais rapidamente que fossem conduzidos, tiveram tempo de lançar um último e ameaçador sarcasmo a seus adversários.

Aludindo à largura exígua da Flórida, simples península espremida entre dois mares, afirmaram que ela não resistiria ao abalo do tiro e saltaria pelos ares ao primeiro disparo do canhão.

"Pois que salte!", respondeu a Flórida com um laconismo digno dos tempos antigos.

Urbi et Orbi

Resolvidas as dificuldades astronômicas, mecânicas e topográficas, levantou-se a questão do dinheiro. Era preciso amealhar uma soma enorme para a execução do projeto, e nenhum particular ou mesmo Estado poderia dispor dos milhões necessários.

O presidente Barbicane tomou então o partido, embora o empreendimento fosse americano, de transformá-lo em objeto de interesse universal e pedir a cada povo sua cooperação financeira. Era ao mesmo tempo direito e dever da Terra inteira interferir nos negócios de seu satélite. A subscrição, aberta com essa finalidade, estendeu-se de Baltimore para o mundo, *urbi et orbi*.

E ela superou as expectativas, embora se tratasse de doações e não de empréstimos. A operação era puramente desinteressada no sentido literal da palavra e não oferecia nenhuma possibilidade de lucro.

A comunicação de Barbicane não se deteve nas fronteiras dos Estados Unidos. Cruzou o Atlântico e o Pacífico, invadiu ao mesmo tempo a Ásia e a Europa, a África e a Oceania. Os observatórios da União se puseram imediatamente em contato com seus congêneres dos países estrangeiros. Os de Paris, São Petersburgo, Cidade do Cabo, Berlim, Altona, Estocolmo, Varsóvia, Hamburgo, Bude, Bolonha, Malta, Lisboa, Benares, Madras e Pequim enviaram seus cumprimentos ao Gun Club. Os outros preferiram se ater a uma expectativa prudente.

Já o observatório de Greenwich, apoiado por outros vinte e dois estabelecimentos astronômicos da Grã-Bretanha, foi taxativo: negou veementemente a possibilidade de sucesso e perfilhou as teorias do capitão Nicholl. Assim, enquanto diversas sociedades científicas prometiam enviar delegados a Tampa-Town, a diretoria de Greenwich, reunida em sessão, ignorou rudemente a proposta de Barbicane em sua ordem do dia. Era a boa e velha inveja inglesa. Nada mais.

Em resumo, o efeito foi excelente no mundo científico e passou daí para as massas que, em geral, se tomaram de amores pelo empreendimento – fato de grande importância, pois essas massas iriam ser convidadas a subscrever um capital considerável.

O presidente Barbicane, em 8 de outubro, lançou um manifesto vibrante de entusiasmo, no qual apelava "a todos os homens de boa vontade da Terra". Esse documento, traduzido para todas as línguas, teve enorme repercussão.

As subscrições foram abertas nas principais cidades da União e centralizadas no Banco de Baltimore, rua Baltimore, n.º 9. Em seguida, repetiu-se nos diferentes países dos dois continentes:

Em Viena (S.-M. de Rothschild).
Em São Petersburgo (Stieglitz & Cia.).
Em Paris (Crédit Mobilier).
Em Estocolmo (Tottie & Arfuredson).
Em Londres (N.-M. de Rothschild & Sons).
Em Turim (Ardouin & Cia.).
Em Berlim (Mendelssohn).
Em Genebra (Lombard, Odier & Cia.).

Em Constantinopla (Banco Otomano).
Em Bruxelas (S. Lambert).
Em Madri (Daniel Weisweller).
Em Amsterdã (Banco Holandês).
Em Roma (Torlonia & Cia.).
Em Lisboa (Lecesne).
Em Copenhague (Banco privado).
Em Buenos Aires (Banco Mauá).
No Rio de Janeiro (mesmo estabelecimento).
Em Montevidéu (mesmo estabelecimento).
Em Valparaíso (Thomas La Chambre & Cia.).
Na Cidade do México (Martin Daran & Cia.).
Em Lima (Thomas La Chambre & Cia.).

Três dias após o manifesto do presidente Barbicane, quatro milhões de dólares haviam sido recolhidos nas diferentes cidades da União. Com tantas entradas, o Gun Club já podia começar seus trabalhos.

Mas, dias depois, chegaram à América notícias de que as subscrições estrangeiras se avolumavam rapidamente. Alguns países mostravam grande generosidade; outros abriam a bolsa com menos facilidade. Questão de temperamento.

De resto, os números são muito mais eloquentes que as palavras e eis aqui o estado oficial das somas alocadas ao Gun Club, depois de concluída a subscrição.

A Rússia contribuiu com a enorme soma de 368.733 rublos. Não é de admirar: conhece-se o gosto científico dos russos e o progresso que vão imprimindo aos estudos astronômicos graças a seus numerosos observatórios, o principal dos quais custou nada menos que dois milhões de rublos.

A França, de início, riu das pretensões dos americanos. A lua serviu de pretexto a incontáveis anedotas surradas e a dezenas de cançonetas, nas quais o mau gosto não ficava a dever nada à ignorância. Mas, do mesmo modo que pagaram caro em outros tempos por ter cantado, agora não iam pagar menos por ter rido e entregaram 253.930 francos. A esse preço, certamente mereciam um pouco de diversão.

A Áustria se mostrou bastante generosa apesar da turbulência de suas finanças. Sua contribuição chegou a 216 mil florins, que foram muito bem-vindos.

Cinquenta e dois mil rixdales: essa a soma vertida pela Suécia e pela Noruega. Cifra considerável, levando-se em conta o tamanho da região; mas teria sido maior, sem dúvida, caso a subscrição ocorresse em Cristiânia ao mesmo tempo que em Estocolmo. Por uma razão qualquer, os noruegueses não gostam de mandar dinheiro para a Suécia.

A Prússia, enviando 250 mil táleres, revelou a que ponto aprovava o empreendimento. Seus vários observatórios contribuíram sem demora com uma soma considerável e foram os mais ardorosos incentivadores do presidente Barbicane.

A Turquia se mostrou generosa, mas estava interessada no caso, pois a lua regula o curso de seus anos e seu jejum do Ramadã. Não podia fazer menos que doar 1.372.640 piastras, e ela o fez com um entusiasmo que, todavia, denunciava certa pressão do governo da Sublime Porta.

A Bélgica se distinguiu, entre todos os Estados menores, pela soma de 513 mil francos, ou seja, doze centavos por habitante.

A Holanda e suas colônias se interessaram pela operação com 110 mil florins, solicitando apenas uma bonificação de cinco por cento de desconto, já que estavam pagando à vista.

A Dinamarca, de pouco território, doou ainda assim nove mil ducados, demonstrando todo o amor de seu povo pelas expedições científicas.

A Confederação Germânica contribuiu com 34.285 florins. Não se podia pedir mais a ela, pois mais ela não daria.

Embora em má situação, a Itália encontrou doze mil liras nos bolsos de seus filhos, mas só depois de revirá-los pelo avesso. Se ela tivesse Veneza, faria melhor; mas não tinha.

Os Estados da Igreja julgaram não dever dar menos que 7.040 escudos romanos. E Portugal levou sua devoção à ciência a ponto de contribuir com trinta mil cruzados.

O México deu o óbolo da viúva: 86 piastras. Mas os impérios que desmoronam têm lá seus problemas.

Duzentos e cinquenta e sete francos, tal foi a modesta participação da Suíça na obra americana. Digamos com franqueza, ela não viu nenhum lado prático na operação; não lhe pareceu que o envio de um projétil à lua fosse de natureza a estabelecer boas relações comerciais com o astro das noites e achou pouco prudente comprometer seus capitais em uma aventura tão aleatória. Afinal, a Suíça talvez tivesse razão.

A Espanha não conseguiu reunir mais que 110 reais e deu como pretexto a necessidade de concluir as obras de suas estradas de ferro. Mas, na verdade, a ciência não é bem vista ali. A Espanha ainda está um pouco atrasada. Além disso, alguns espanhóis, e não os menos instruídos, não calculavam bem a massa do projétil em comparação com a da lua e temiam que ele desarranjasse sua órbita, a perturbasse em seu ofício de satélite e provocasse sua queda na superfície do globo terrestre. Então, mais valia se abster. Foi o que fizeram, dando apenas uns poucos reais.

Restava a Inglaterra. Sabemos da antipatia desdenhosa com que acolheu a proposta de Barbicane. A Grã-Bretanha, com seus 25 milhões de habitantes, tem uma só e mesma alma. Deu a entender que o empreendimento do Gun Club era contrário ao "princípio da não intervenção" e não subscreveu um centavo sequer.

Ao ouvir isso, o Gun Club se contentou com dar de ombros e voltar ao trabalho. Depois que a América do Sul – Peru, Chile, Brasil, províncias do Prata e Colômbia – anunciou sua cota de trezentos mil dólares, o Gun Club se viu de posse de um capital considerável, assim discriminado (em dólares):

Subscrição dos Estados Unidos	4.000.000
Subscrições estrangeiras	1.446.675
Total	5.446.675

Aí está: 5.446.675 dólares vertidos pelo público na caixa do Gun Club.

Que ninguém se surpreenda com a importância da soma. Os trabalhos de fundição, perfuração, alvenaria, transporte de operários, sua instalação numa região quase desabitada, construção de fornos e barracões, equipamento das usinas, pólvora, projétil e despesas adicionais deviam, conforme os cálculos, absorver quase todo o dinheiro arrecadado. Alguns tiros de canhão durante a Guerra Civil custaram mil dólares; o de Barbicane, único na história da artilharia, poderia muito bem custar cinco mil vezes esse valor.

Em 20 de outubro, um contrato foi assinado com a usina de Goldspring, perto de Nova Iorque, que durante a guerra havia fornecido a Parrott seus melhores canhões fundidos.

Estipulou-se, entre as partes contratantes, que a usina de Goldspring se comprometia a transportar a Tampa-Town, no sul da Flórida, o material necessário para a fundição da Columbiad. Essa operação deveria estar concluída, o mais tardar, em 15 de outubro próximo, com o canhão entregue em perfeito estado, sob pena de uma indenização de cem dólares por dia até o momento em que a lua se apresentasse nas mesmas condições, isto é, dentro de dezoito anos e onze dias. A contratação dos operários, seus salários e as disposições necessárias ficavam a cargo da empresa de Goldspring.

O contrato, em duas vias e de boa-fé, foi assinado por I. Barbicane, presidente do Gun Club, e J. Murchison, diretor da usina de Goldspring, ambos de pleno acordo com os termos lavrados.

Stone's Hill

Após a escolha feita pelos membros do Gun Club em detrimento do Texas, cada indivíduo na América, onde todos sabem ler, julgou de sua obrigação estudar a geografia da Flórida. Nunca as livrarias venderam tantos exemplares do *Guia da Flórida*, de Bertram, da *História natural da Flórida Oriental e Ocidental,* de Roman, do *Território da Flórida*, de William, da *Cultura da cana-de-açúcar no Leste da Flórida*, de Cleland. Foi preciso imprimir novas edições. Um verdadeiro furor.

Barbicane, que não tinha tempo para leituras, quis ver com seus próprios olhos o local da Columbiad, para demarcá-lo. Assim, sem perda de tempo, colocou à disposição do Observatório de Cambridge os fundos necessários à construção de um telescópio e combinou com a empresa Breadwill & Co., de Albany, a confecção do projétil em alumínio. Em seguida, partiu de Baltimore na companhia de J.-T. Maston, do major Elphiston e do diretor da usina de Goldspring.

No dia seguinte, os quatro companheiros de viagem chegaram a Nova Orleans. Ali, embarcaram imediatamente no *Tampico*, aviso[29] da

29 Aviso é um tipo de embarcação de guerra utilizada para transmissão de notas e de outras mensagens entre os diversos navios e entre estes e quem está em terra.

marinha federal que o governo pôs à disposição. Com as chaminés do barco largando fumaça, as margens da Luisiana logo desapareceram de vista.

A travessia não foi longa. Dois dias após a partida, o *Tampico*, depois de percorrer setecentos quilômetros, avistou a costa da Flórida. Barbicane viu-se então em presença de uma terra baixa, plana, de aspecto estéril. Depois de passar por uma série de enseadas ricas em ostras e lagostas, o barco entrou na Baía do Espírito Santo.

Essa baía se divide em duas enseadas esguias, a de Tampa e a de Hillisboro, das quais o vapor transpôs rapidamente a entrada. Pouco depois, o Forte Brooke surgiu com suas baterias rasantes acima das ondas e a cidade de Tampa apareceu, negligentemente estendida ao fundo de um pequeno porto natural, formado pela embocadura do Rio Hillisboro.

Foi ali que o *Tampico* atracou no dia 22 de outubro, às sete horas da noite. Os quatro passageiros desembarcaram imediatamente.

Barbicane sentiu o coração disparar quando pisou o solo da Flórida; parecia tateá-lo com o pé, como faz o arquiteto de uma casa para constatar sua solidez. J.-T. Maston arranhava a terra com seu gancho.

– Senhores – disse então Barbicane –, não temos tempo a perder. Amanhã mesmo sairemos a cavalo para reconhecer o terreno.

No momento em que Barbicane havia desembarcado, os três mil habitantes de Tampa-Town correram ao seu encontro, honra sem dúvida devida ao presidente do Gun Club, que os favorecera com sua escolha. Receberam-no em meio a aclamações formidáveis; mas Barbicane se esquivou à ovação, enfurnou-se num quarto do Hotel Franklin e não quis receber ninguém. O papel de celebridade não lhe convinha.

No dia seguinte, 23 de outubro, pequenos cavalos de raça espanhola, ágeis e vigorosos, relinchavam sob suas janelas. Mas, em vez de quatro, havia ali cinquenta, com seus cavaleiros. Barbicane desceu, seguido de seus três companheiros, e espantou-se de início ao ver tamanha cavalgada. Notou, além disso, que cada homem levava uma carabina à bandoleira e pistolas nos coldres. O motivo dessa exibição de força lhe foi logo esclarecido por um jovem morador local:

– Senhor, é por causa dos seminoles.

– Que seminoles?

– Os selvagens que vagam pelas pradarias. Pareceu-nos prudente escoltá-lo para garantir sua segurança.

– Ora, ora! – desdenhou J.-T. Maston, montando.

– Sim, é mais seguro – insistiu o jovem.

– Senhores – disse Barbicane –, agradeço sua atenção. Agora, a caminho!

A pequena tropa partiu numa nuvem de poeira. Eram cinco horas da manhã; o sol já brilhava e o termômetro marcava vinte e oito graus Celsius, mas as brisas frescas do mar moderavam essa temperatura excessiva.

Barbicane, deixando Tampa-Town, desceu para o sul ao longo da costa, rumo ao riacho Alifia. Esse pequeno curso de água se lança na Baía Hillisboro, cerca de vinte quilômetros abaixo de Tampa-Town. Barbicane e sua escolta seguiram pela margem direita, em direção ao Leste. Logo as águas da baía desapareceram atrás de uma dobra do terreno e o campo da Flórida se estendeu diante dos olhos dos cavaleiros.

A Flórida se divide em duas partes: uma ao norte, mais populosa e menos abandonada, tem Tallahassee como capital e Pensacola como um dos principais arsenais marítimos dos Estados Unidos; a outra, comprimida entre o Atlântico e o Golfo do México, que a estrangulam com suas águas, não passa de uma península esguia roída pela corrente do golfo, uma ponta de terra perdida no meio de um pequeno arquipélago que os numerosos navios do Canal das Bahamas contornam o tempo todo. É a sentinela avançada do golfo das grandes tempestades. A superfície desse Estado é de 15.365.440 hectares, entre os quais era preciso encontrar um situado aquém do 28.º paralelo e adequado ao empreendimento. Por isso, Barbicane cavalgava examinando atentamente a configuração e a distribuição do solo.

A Flórida, descoberta por Juan Ponce de Leon em 1512, no Domingo de Ramos, foi inicialmente chamada de Páscoa Florida, denominação encantadora que ela pouco merecia devido às suas costas áridas e calcinadas. Mas, a alguns quilômetros da praia, a natureza do terreno muda pouco a pouco, e a região se mostra digna desse nome, com seu solo entrecortado de riachos, rios, pântanos e pequenos lagos. O viajante poderia se imaginar na Holanda ou na Guiana. Em seguida, o terreno se eleva sensivelmente e não tarda a revelar suas planícies cultivadas, onde prosperam todas as plantas do norte e do sul, seus campos imensos nutridos pelo sol dos trópicos e pelas águas conservadas na terra argilosa, e, enfim, suas plantações de abacaxis, inhames, tabaco, arroz, algodão e cana-de-açúcar, que se estendem a perder de vista ostentando sua riqueza com uma prodigalidade descuidosa.

Barbicane pareceu muito satisfeito ao constatar a elevação progressiva do terreno e, quando J.-T. Maston o interrogou a esse respeito:

– Meu digno amigo – respondeu ele –, é de nosso maior interesse fundir a Columbiad em um lugar alto.

– Para ficar mais perto da lua? – brincou o secretário do Gun Club.

– Não! – respondeu Barbicane, sorrindo. – Alguns metros a mais ou a menos não farão diferença. É que, em terreno elevado, nossos trabalhos irão mais rápido. Não teremos de lutar contra as águas, o que nos evitará tubulações longas e caras, coisa que deve ser considerada quando se trata de perfurar um poço de quase trezentos metros de profundidade.

– O senhor tem razão – disse o engenheiro Murchison. – É preciso, tanto quanto possível, evitar os lençóis de água durante a perfuração. Entretanto, se encontrarmos fontes, não haverá problema: nós as esgotaremos com bombas ou as desviaremos. Aqui, não é o caso de um poço artesiano[30], estreito e escuro, onde a sonda, a broca, a verruma, enfim,

30 Foram necessários nove anos para perfurar o poço de Grenelle, que tem 547 metros de profundidade. (N.O.)

todas as ferramentas do perfurador trabalham às cegas. Não, nós trabalharemos a céu aberto, à plena luz, de enxada e picareta na mão, e, com o auxílio de minas, chegaremos logo ao fim.

– No entanto – observou Barbicane –, se graças à elevação do solo ou à sua natureza pudermos evitar as águas subterrâneas, o trabalho será mais rápido e mais perfeito. Procuremos então escavar em um ponto situado a algumas centenas de metros acima do nível do mar.

– Certo, senhor Barbicane. E, se não muito me engano, logo acharemos um local conveniente.

– Ah, como eu gostaria de presenciar o primeiro golpe de enxada! – disse o presidente.

– E eu o último! – atalhou J.-T. Maston.

– Chegaremos lá, senhores – disse o engenheiro. – E, creiam-me, a empresa de Goldspring não precisará nos pagar indenização por atraso.

– Por Santa Bárbara! – exclamou J.-T. Maston. – O senhor tem razão! Cem dólares por dia até que a lua volte a ficar nas mesmas condições, isto é, durante dezoito anos e onze dias, sabem que isso significa um total de 658.100 dólares?

– Não, senhor, não sabemos – respondeu o engenheiro. – Nem queremos saber.

Por volta das dez horas da manhã, o pequeno grupo havia percorrido uns quinze quilômetros; aos campos férteis, sucedia agora a região das florestas, onde cresciam as plantas mais variadas, com profusão tropical. Essas florestas quase impenetráveis eram constituídas por romãzeiras, laranjeiras, limoeiros, figueiras, oliveiras, pessegueiros, bananeiras e grandes cepas de vinha, cujos frutos e flores rivalizavam em cores e aromas. À sombra perfumada das árvores magníficas, cantavam e revoavam bandos de pássaros de cores brilhantes, entre os quais se distinguiam os airões, cujo ninho devia ser um escrínio para conter semelhantes joias emplumadas.

J.-T. Maston e o major não continham a admiração em presença dessa natureza opulenta. Mas o presidente Barbicane, pouco sensível a tais maravilhas, tinha pressa; aquela região fértil o desagradava devido à sua própria fertilidade. Sem ser versado em hidroscopia, sentia a água sob os pés e procurava, em vão, os sinais de uma aridez incontestável.

Ainda assim, iam em frente. Foi preciso vadear diversos rios e não sem algum perigo, pois estavam infestados de jacarés de cinco metros de comprimento. J.-T. Maston ameaçou-os com seu temível gancho, mas só conseguiu assustar os pelicanos, os marrecos e as narcejas, habitantes selvagens daquelas margens, enquanto enormes flamingos vermelhos o contemplavam com ar apalermado.

Por fim, também esses hóspedes das regiões úmidas desapareceram; árvores mirradas formavam, aqui e ali, matagais menos densos no meio da planície infinita, onde pastavam bandos de gamos assustados.

– Enfim! – desabafou Barbicane, erguendo-se nos estribos. – Cá estamos na região dos pinheiros!

– E dos selvagens – completou o major.

Com efeito, alguns seminoles apareceram no horizonte; agitavam-se, corriam de um lado para outro em seus cavalos rápidos, brandiam longas lanças ou descarregavam seus fuzis de detonação surda. Mas limitaram-se a essas demonstrações hostis, sem preocupar Barbicane e seus companheiros.

Estes estavam agora no meio de uma planície rochosa, com vários quilômetros de extensão e inundada de sol. Era formada por uma vasta intumescência do terreno e parecia oferecer aos membros do Gun Club todas as condições exigidas para a instalação de sua Columbiad.

– Alto! – gritou Barbicane, detendo-se. – Este lugar aqui tem um nome?

– Chama-se Stone's Hill[31] – respondeu um dos homens da escolta.

31 Colina das Pedras. (N.O.)

Barbicane, sem dizer palavra, apeou, pegou seus instrumentos e começou a determinar sua posição com muita meticulosidade; o pequeno grupo, em volta, observava-o guardando um silêncio profundo.

Nesse momento, o sol cruzou o meridiano.

Barbicane, passados alguns instantes, concluiu rapidamente seus cálculos e disse:

– Este lugar está situado a seiscentos metros acima do nível do mar, a 27°7' de latitude e 5°7' de longitude Oeste[32]. A meu ver, oferece por sua natureza árida e rochosa todas as condições favoráveis à experiência. É, pois, aqui que se elevarão nossos armazéns, nossas oficinas, nossos fornos, os alojamentos de nossos operários; e é daqui, daqui mesmo – repetiu ele, batendo com o pé no cume da Stone's Hill – que nosso projétil voará para os espaços do mundo solar!

32 No meridiano de Washington. A diferença para o meridiano de Paris é de 79°22'. Essa longitude é, pois, em medidas francesas, 83°25'. (N.O.)

Enxada e pá

Naquela mesma noite, Barbicane e seus companheiros voltaram para Tampa-Town e o engenheiro Murchison reembarcou no *Tampico* para Nova Orleans. Deveria recrutar um exército de operários e adquirir a maior parte do material. Os membros do Gun Club permaneceram em Tampa-Town a fim de organizar os primeiros trabalhos com a ajuda dos moradores da região.

Oito dias após sua partida, o *Tampico* entrou novamente na Baía do Espírito Santo com uma flotilha de barcos a vapor. Murchison havia reunido mil e quinhentos trabalhadores. Nos maus tempos da escravidão, ele teria perdido seu tempo e seu esforço. Mas desde que a América, terra da liberdade, só contava com homens livres em seu seio, estes corriam para qualquer lugar onde se precisasse de uma mão de obra generosamente remunerada. Ora, dinheiro era o que não faltava ao Gun Club; ele oferecia a seus homens bons salários, com gratificações consideráveis e proporcionais. O operário contratado para a Flórida podia contar, finda a obra, com um capital depositado em seu nome no

Banco de Baltimore. Murchison só teve, pois, o embaraço da escolha e mostrou-se exigente quanto à inteligência e à habilidade dos trabalhadores. É de crer que arrebanhasse em sua laboriosa legião a elite dos mecânicos, foguistas, fundidores, caldeireiros, mineiros, oleiros e ajudantes de todo gênero, pretos ou brancos, sem distinção de cor. Muitos levavam suas famílias. Era uma verdadeira emigração.

Em 31 de outubro, às dez horas da manhã, esse grupo desembarcou nos cais de Tampa-Town, e pode-se imaginar o movimento e a atividade que tomaram conta da cidadezinha, cuja população havia dobrado em um dia. Com efeito, Tampa-Town iria ganhar muito com a iniciativa do Gun Club, não pelo número de operários, que foram levados imediatamente para a Stone's Hill, mas pela presença de curiosos que afluíam pouco a pouco de todos os pontos do globo para a Península da Flórida.

Nos primeiros dias, descarregou-se o material trazido pela flotilha, as máquinas, os víveres e um grande número de casas pré-fabricadas. Ao mesmo tempo, Barbicane instalava os primeiros marcos de uma ferrovia de 25 quilômetros que ligaria a Colina das Pedras a Tampa-Town.

Sabe-se em que condições se faz uma estrada de ferro americana; caprichosa nas curvas, ousada nas encostas, indiferente às obras de proteção, subindo pelas montanhas, precipitando-se nos vales, a ferrovia corre às cegas e sem se preocupar com a linha reta. Isso não prejudica e custa pouco; as composições descarrilam e saltam dos trilhos com toda a liberdade. A estrada de Tampa-Town a Stone's Hill foi simples bagatela, não exigindo nem muito tempo nem muito dinheiro para que ficasse pronta.

De resto, Barbicane era a alma de todo aquele mundo que acorria à sua voz; ele o animava, ele lhe comunicava seu alento, seu entusiasmo, sua convicção. Estava em todos os lugares, como que munido do dom da ubiquidade e sempre acompanhado por J.-T. Maston, seu fiel escudeiro. O espírito prático de Barbicane urdia mil invenções.

Para ele não havia obstáculos, dificuldades, embaraços; era tanto mineiro, pedreiro e mecânico quanto artilheiro, com respostas para todas as exigências e soluções para todos os problemas. Correspondia-se ativamente com o Gun Club e a usina de Goldspring; dia e noite, de caldeiras acesas e vapor sob pressão, o *Tampico* atendia todas às suas ordens na Enseada de Hillisboro.

Em 1.º de novembro, Barbicane deixou Tampa-Town com um grupo de trabalhadores e, já no dia seguinte, uma fileira de casas pré-fabricadas se erguia em volta da Stone's Hill. A vila, rodeada de paliçadas, parecia por seu movimento e entusiasmo uma das grandes cidades da União. O cotidiano foi rigorosamente disciplinado, e os trabalhos começaram em perfeita ordem.

Sondagens cuidadosamente executadas haviam permitido reconhecer a natureza do terreno, e a perfuração pôde ser iniciada em 4 de novembro. Nesse dia, Barbicane reuniu seus chefes de oficina e disse-lhes:

– Todos vocês sabem, meus amigos, por que os reuni nesta parte selvagem da Flórida. Vamos fundir um canhão de 2,7 metros de diâmetro interno, 1,8 metro de espessura nas paredes e 5,8 metros em seu revestimento de pedra. Teremos, pois, de escavar um poço com dezoito metros de largura por 270 de profundidade. Essa obra considerável deverá ficar pronta em oito meses; ora, vocês têm 720 mil metros cúbicos de terra a extrair em 255 dias, ou seja, arredondando os números, três mil metros cúbicos por dia. O que não ofereceria nenhuma dificuldade para mil operários trabalhando num espaço amplo será mais penoso num espaço relativamente restrito. Mas, dado que o trabalho precisa ser feito, nós o faremos, e conto para isso com sua coragem e habilidade.

As oito horas da manhã, o primeiro golpe de enxada fendeu o solo da Flórida e, desde então, essa valente ferramenta não ficou ociosa um instante sequer nas mãos dos mineiros. Os operários se revezavam em turnos de seis horas.

De resto, por colossal que fosse a operação, não ultrapassava o limite das forças humanas. Longe disso. Quantos trabalhos mais difíceis, nos quais os elementos precisaram ser diretamente combatidos, não chegaram a bom termo! Bastará citar, por exemplo, o "Poço do Pai José", construído perto do Cairo pelo sultão Saladino numa época em que as máquinas ainda não tinham surgido para centuplicar a força do homem e que desce ao próprio nível do Nilo, a uma profundidade de noventa metros! E que dizer de outro poço, com 180 metros, perfurado em Coblença pelo margrave João de Bade? Afinal, de que se tratava? De triplicar essa profundidade, com uma largura dez vezes maior, o que tornava a perfuração mais fácil! Por isso, nem um contramestre, nem um operário duvidava do êxito da operação.

Uma decisão importante, tomada pelo engenheiro Murchison de acordo com o presidente Barbicane, contribuiu para acelerar ainda mais a marcha dos trabalhos. Um artigo do contrato previa que a Columbiad seria cingida por aros de ferro forjado, instalados a quente. Precauções inúteis, pois o engenho podia muito bem prescindir de anéis compressores. Renunciou-se, pois, a essa cláusula.

Daí, uma grande economia de tempo, pois foi possível empregar o novo sistema de perfuração, adotado hoje na construção de poços e em que a alvenaria se faz ao mesmo tempo que a escavação. Graças a esse processo muito simples, não é necessário conter a terra com anteparos: a parede a escora firmemente e vai descendo por seu próprio peso.

Essa manobra só começaria quando a enxada atingisse a parte firme do solo.

Em 4 de novembro, cinquenta operários cavaram no centro da paliçada, isto é, na parte superior da Stone's Hill, um buraco circular com dezoito metros de largura.

A enxada bateu primeiro numa espécie de camada negra, com uns quinze centímetros de espessura, que não ofereceu obstáculo. A ela se sucederam sessenta centímetros de uma areia fina, que foi cuidadosamente retirada, pois serviria para a confecção do molde interno.

Depois da areia, surgiu uma argila branca bastante compacta, semelhante à marga inglesa e com 1,20 metro de espessura.

Em seguida, o ferro das picaretas resvalou sobre uma camada de terra dura, uma espécie de rocha formada de conchas petrificadas, muito seca, muito sólida, que daria bastante trabalho às ferramentas. A essa altura, o buraco alcançara uma profundidade de quase dois metros e os trabalhos de alvenaria foram iniciados.

No fundo da escavação, colocou-se uma roda de madeira de carvalho, espécie de disco firmemente aparafusado e de solidez a toda prova; abriu-se no centro um orifício de diâmetro igual ao diâmetro externo da Columbiad. Sobre esse disco foram assentadas as primeiras camadas de alvenaria, com as pedras solidamente unidas por cimento hidráulico. Os operários, após trabalhar da circunferência ao centro, viram-se fechados num poço de seis metros de largura.

Terminada essa obra, os mineiros retomaram as pás e as picaretas, atacando a rocha sob a própria roda e tomando o cuidado de ir sustentando-a com cavaletes bem sólidos; todas as vezes que o buraco ganhava sessenta centímetros de profundidade, os cavaletes eram retirados sucessivamente e a roda baixava pouco a pouco, levando consigo a massa anular de alvenaria. Sobre a camada superior desta, os operários trabalhavam sem parar, deixando respiradouros por onde o gás escaparia durante o processo de fundição.

Esse gênero de tarefa exigia da parte dos operários muita habilidade e muita atenção. Mais de um, escavando sob a roda, foi atingido perigosamente, e mesmo mortalmente, por lascas de pedra. Ainda assim, dia e noite, o entusiasmo não arrefeceu um minuto sequer: de dia, sob os raios de um sol que, alguns meses depois, dardejaria 40ºC de calor sobre aquelas planícies calcinadas; de noite, ao clarão das lâmpadas elétricas. O ruído das picaretas contra a rocha, a detonação das minas, o ranger das máquinas e o turbilhão de fumaça lançada aos ares traçavam em torno da Stone's Hill um círculo ameaçador que as manadas de bisões ou os bandos de seminoles não ousavam franquear.

E os trabalhos avançavam regularmente. Guindastes a vapor aceleravam a remoção do entulho; eram poucos os obstáculos inesperados – e as dificuldades previstas eram superadas com galhardia.

Decorrido o primeiro mês, o poço alcançara a profundidade esperada, ou seja, 34 metros. Em dezembro, essa profundidade dobrou e, em janeiro, triplicou. Em fevereiro, os trabalhadores se viram às voltas com um lençol de água que brotou da crosta terrestre. Foi necessário empregar bombas poderosas e aparelhos de ar comprimido para esgotá-lo e tapar o orifício das fontes, tal como se veda com betume a abertura por onde um navio faz água. Por fim, essas correntes indesejáveis foram vencidas. No entanto, devido à mobilidade do terreno, a roda cedeu em parte e houve um desabamento parcial. Imagine-se o ímpeto formidável daquele disco de alvenaria de 150 metros de altura! Esse acidente custou a vida de alguns operários.

Foram necessárias três semanas para escorar o revestimento de pedra, repará-lo e repor a roda nas primitivas condições de solidez. Mas, graças à habilidade do engenheiro e à potência das máquinas empregadas, a obra, comprometida por um instante, foi retomada e a perfuração continuou.

Nenhum outro incidente deteve daí por diante a marcha da operação e, em 10 de junho, vinte dias antes de expirar o prazo fixado por Barbicane, o poço, inteiramente revestido de pedra, havia atingido a profundidade de 270 metros. No fundo, a alvenaria repousava sobre um cubo maciço de nove metros de espessura; na parte superior, nivelava-se com o solo.

O presidente Barbicane e os membros do Gun Club cumprimentaram calorosamente o engenheiro Murchison, cujo trabalho ciclópico se realizara com impressionante rapidez.

Durante esses oito meses, Barbicane não abandonou um instante a Stone's Hill. Acompanhando de perto as operações de perfuração, preocupava-se o tempo todo com o bem-estar e a saúde de seus trabalhadores, conseguindo evitar as epidemias comuns às grandes aglomerações de homens, tão desastrosas nessas regiões do globo expostas a todas as influências tropicais.

Vários trabalhadores, é certo, pagaram com a vida as imprudências inerentes a essas tarefas perigosas; mas são desgraças impossíveis de evitar, detalhes aos quais os americanos dão pouca atenção. Eles pensam mais na humanidade em geral do que no indivíduo em particular. Barbicane, contudo, tinha princípios diferentes e aplicava-os em todas as ocasiões. Assim, graças ao seu zelo, à sua inteligência, à sua intervenção oportuna em casos difíceis, à sua sagacidade prodigiosa e humana, a média das catástrofes não ultrapassou a dos países de além-mar famosos pelo excesso de precauções, entre outros a França, onde se constata cerca de um acidente por duzentos mil francos de obras.

A festa da fundição

Durante os oito meses empregados na escavação, os trabalhos preparatórios de fundição haviam sido conduzidos simultaneamente com extrema rapidez; um estrangeiro, chegando a Stone's Hill, se surpreenderia muito com o espetáculo oferecido a seus olhos.

A cerca de quinhentos metros do poço, e dispostos circularmente em torno desse ponto central, erguiam-se 1.200 fornos de reverberação, cada um com quase dois metros de largura e separados entre si por um intervalo de um metro. Mediam, em linha, 3,6 quilômetros de comprimento. Eram todos do mesmo modelo; e, com sua alta chaminé quadrangular, produziam um curioso efeito. J.-T. Maston achava soberba aquela disposição arquitetônica, que lhe lembrava os monumentos de Washington. A seu ver, não havia nada mais bonito no mundo, nem mesmo na Grécia, "onde, aliás", dizia ele, "nunca estive".

Sabe-se que, em sua terceira sessão, o comitê havia decidido empregar a fundição de ferro para a Columbiad, em especial o ferro cinza.

Esse metal é, com efeito, mais resistente, mais dúctil, mais flexível, mais fácil de polir, ideal para todos os tipos de moldagem, e, tratado com carvão mineral, tem qualidade superior para peças de grande resistência, como canhões, cilindros de máquinas a vapor, prensas hidráulicas, etc.

Mas o ferro, após uma única fusão, raramente se mostra homogêneo: é necessária uma segunda fusão para purificá-lo, refiná-lo, desembaraçá-lo dos últimos depósitos terrosos.

Assim, antes de ser despachado para Tampa-Town, o mineral de ferro, aquecido nos altos-fornos de Goldspring com carvão e silício a elevadas temperaturas, foi transformado em ferro fundido após a incorporação do carbono[33]. Em seguida, o metal foi enviado para a Stone's Hill. Mas eram mais de sessenta mil toneladas, e despachá-las por ferrovia ficaria muito caro, de tal modo que o preço do transporte seria o dobro do preço da carga. Pareceu preferível fretar navios em Nova Iorque para levar o ferro em barras; foram necessários nada menos que 68 barcos de mil toneladas, uma verdadeira frota, que em 3 de maio saiu de Nova Iorque e tomou a rota do oceano. Em seguida, perlongando as costas americanas, passou pelo Canal das Bahamas, dobrou a ponta da Flórida e, em 10 do mesmo mês, entrando na Baía do Espírito Santo, atracou no porto de Tampa-Town.

Ali, a carga foi transferida dos navios para os vagões da ferrovia da Stone's Hill e, em meados de janeiro, a enorme massa de metal já tinha chegado a seu destino.

Compreende-se facilmente que mil e duzentos fornos não eram demais para liquefazer ao mesmo tempo essas sessenta mil toneladas de ferro fundido. Cada um podia conter perto de cinquenta mil quilos de metal. Tinham sido feitos segundo o modelo dos que fundiram o canhão Rodman, e sua forma era trapezoidal, rebaixada. A fornalha e a chaminé ficavam nas duas extremidades do forno, de modo que

33 É depois de retirar o carbono e o silício, mediante a operação de refino em fornos reverberatórios, que se transforma o ferro fundido em ferro dúctil. (N.O.)

a temperatura deste era a mesma em toda a sua extensão. Construídos com tijolos refratários, resumiam-se a uma grelha para queimar o carvão mineral e a um crisol sobre o qual deviam ser dispostas as barras de ferro; esse crisol, inclinado em ângulo de 25 graus, permitia que o metal escorresse para os recipientes, de onde mil e duzentas canaletas convergentes o encaminhavam para o poço central.

No dia seguinte àquele em que as obras de alvenaria e perfuração haviam terminado, Barbicane ordenou a confecção do molde interno. Tratava-se de elevar no centro do poço, seguindo seu eixo, um cilindro com 270 metros de altura por 27 de largura, que preencheria exatamente o espaço reservado à alma da Columbiad. Esse cilindro era feito de uma mistura de terra argilosa e areia, ligada por feno e palha. O intervalo entre o molde e o revestimento seria preenchido pelo metal em fusão, que formaria assim paredes de 1,8 metro de espessura.

O cilindro, para se manter em equilíbrio, precisaria ser reforçado com armações de ferro e apoiado de espaço a espaço com travessas chumbadas no revestimento de pedra; após a fundição, elas ficariam mergulhadas no bloco de metal, o que não oferecia inconveniente algum.

Essa tarefa terminou em 8 de julho, e a fundição foi marcada para o dia seguinte.

– A festa da fundição será uma bela cerimônia – confidenciou J.-T. Maston a seu amigo Barbicane.

– Sem dúvida – concordou Barbicane. – Mas não há de ser uma festa pública!

– Como? Não vai deixar entrar quem vier?

– Não, Maston. A fundição da Columbiad é uma operação delicada, para não dizer perigosa, e prefiro que seja realizada a portas fechadas. Poderemos ter festa quando for feito o disparo. Antes, não.

O presidente estava certo: a operação podia oferecer riscos imprevistos, que a grande afluência de espectadores impediria de evitar. Era necessário garantir a liberdade de movimentos. Por isso, ninguém foi admitido no recinto, exceto uma delegação dos membros do Gun Club que vieram de Tampa-Town. Estavam entre eles o arrojado Bilsby, Tom Hunter, o coronel Blomsberry, o major Elphiston, o general Morgan e *tutti quanti*, para os quais a fundição da Columbiad era um assunto pessoal. J.-T. Maston se apresentou como seu cicerone; não lhes poupou nenhum detalhe; levou-os para toda parte, para os armazéns, oficinas, instalações de máquinas; forçou-os a visitar cada um dos mil e duzentos fornos. Na última visita, estavam esgotados.

A fundição devia ocorrer ao meio-dia em ponto; na véspera, cada forno tinha sido carregado com 450 mil quilos de metal em barra, dispostos em pilhas entrecruzadas para que o ar quente circulasse livremente entre elas. Desde o começo da manhã, as mil e duzentas chaminés expeliam na atmosfera suas torrentes de chamas, e o chão estremecia com surdas trepidações. Para determinada quantidade de metal a fundir, a mesma de carvão a queimar – portanto, 68 mil toneladas de carvão que projetavam, diante do disco solar, uma espessa cortina de fumaça negra.

O calor logo se tornou insuportável dentro daquele círculo de fornos cujo fragor parecia a rolagem do trovão; poderosos ventiladores sopravam sem parar e saturavam de oxigênio todas aquelas fornalhas incandescentes.

A operação, para ter êxito, precisava ser feita com rapidez. Ao sinal dado por um tiro de canhão, cada forno deveria dar passagem à massa líquida e se esvaziar por completo.

Tomadas essas disposições, capatazes e operários aguardaram o momento crucial com uma impaciência mesclada de emoção. Já não havia ninguém no recinto, e os contramestres fundidores permaneciam a postos perto dos orifícios de vazão.

Barbicane e seus colegas, de pé numa elevação próxima, assistiam a tudo. Diante deles, uma peça de canhão esperava o sinal do engenheiro para disparar.

Alguns minutos antes do meio-dia, as primeiras gotas de metal começaram a escorrer; as bacias de recepção se encheram pouco a pouco e, quando o metal se derreteu todo, foi mantido em repouso por alguns instantes para facilitar a separação das substâncias estranhas.

Soou meio-dia. O canhão troou subitamente e lançou seu clarão amarelado nos ares. Mil e duzentos orifícios se abriram ao mesmo tempo e mil e duzentas serpentes de fogo colearam rumo ao poço central, desenrolando seus anéis flamejantes. Ali se precipitaram com um ruído espantoso, a uma profundidade de 270 metros. Era um espetáculo impressionante e magnífico. O solo estremecia enquanto aqueles fluxos, lançando ao céu torvelinhos de fumaça, volatilizavam ao mesmo tempo a umidade do molde e a dirigiam para os respiradouros do revestimento de pedra sob a forma de vapores diáfanos. Essas nuvens artificiais e espessas espiralavam na direção do zênite até uma altura de quinhentos metros. Um selvagem que vagasse além dos limites do horizonte teria visto ali a formação de uma nova cratera no seio da Flórida - embora aquilo não fosse nem uma erupção, nem uma tromba-d'água, nem uma tempestade, nem uma luta de elementos nem um desses fenômenos terríveis que a natureza costuma produzir! Não! O homem é que havia criado aqueles vapores avermelhados, aquelas chamas gigantescas, dignas de um vulcão, aqueles estremecimentos ruidosos semelhantes aos abalos sísmicos, aqueles mugidos que lembravam furacões e tormentas. Era a mão do homem que precipitava, num abismo cavado por ela, um Niágara de metal borbulhante.

A Columbiad

Tivera êxito a operação de fundição? Cabia apenas conjecturar. No entanto, tudo apontava para o sucesso, pois o molde havia absorvido por completo o metal liquefeito nos fornos. Fosse como fosse, levaria tempo para se ter certeza mediante observação direta.

Com efeito, quando o major Rodman fundiu seu canhão de setenta mil quilos, o resfriamento exigiu nada menos que quinze dias. Por quanto tempo então a monstruosa Columbiad, coroada de vapores turbilhonantes e envolta em seu calor intenso, se furtaria aos olhares de seus admiradores? Cálculo difícil.

A impaciência dos membros do Gun Club foi posta, durante esse lapso de tempo, a uma dura prova. Mas tinham de esperar. J.-T. Maston era a ansiedade em pessoa. Quinze dias após a fundição, um imenso penacho de fumaça ainda subia para o céu e o chão queimava os pés num raio de duzentos passos em volta do pico da Stone's Hill.

Decorreram os dias, sucederam-se as semanas. Não havia meio de esfriar o imenso cilindro. Não era possível aproximar-se dele. Restava esperar. E os membros do Gun Club se agitavam de impaciência.

– Hoje é 10 de agosto – resmungou um dia J.-T. Maston. – Apenas quatro meses nos separam de primeiro de dezembro! Retirar o molde interno, calibrar a alma da peça, carregar a Columbiad... tudo isso ainda precisa ser feito. Estaremos prontos a tempo? Mas se não podemos nem chegar perto do canhão! Diabos, ele não esfriará nunca? Que ironia cruel!

Todos tentavam inutilmente acalmar o irrequieto secretário. Barbicane não dizia nada, mas seu silêncio disfarçava uma surda irritação. Não era nada fácil, para um homem de guerra, se ver detido por um obstáculo que só o tempo poderia remover – o tempo, inimigo temível naquelas circunstâncias, à mercê do qual agora se achava.

No entanto, observações cotidianas já permitiam constatar certa mudança no estado do solo. Em 15 de agosto, os vapores projetados haviam diminuído bastante de intensidade e espessura. Dias depois, o terreno só exalava uma ligeira neblina, derradeiro alento do monstro encerrado em seu ataúde de pedra. Pouco a pouco, os estremecimentos do chão diminuíram e o círculo de calor se estreitou; os espectadores mais impacientes se aproximavam: um dia, quatro metros; no outro, oito; em 22 de agosto, Barbicane, seus colegas e o engenheiro puderam postar-se sobre a superfície de ferro fundido nivelada com o pico da Stone's-Hill, lugar sem dúvida muito salutar porque os pés ficavam aquecidos.

– Enfim! – desabafou o presidente do Gun Club, com um imenso suspiro de satisfação.

Os trabalhos foram retomados no mesmo dia. Fez-se imediatamente a retirada do molde interno para desimpedir a alma da peça; a picareta, a enxada, as brocas funcionaram sem descanso; a terra argilosa e a areia haviam adquirido uma extrema dureza sob a ação do calor, mas, com a ajuda das máquinas, foi possível despedaçar aquela mistura ainda quente pelo contato com as paredes de ferro fundido; e os materiais extraídos rapidamente atulharam os carros movidos a vapor.

Trabalhou-se tão bem, o entusiasmo era tal, a intervenção de Barbicane revelou-se tão estimulante e seus argumentos, apresentados sob a forma de dólares, tinham tanta força que, em 3 de setembro, os últimos resquícios do molde haviam desaparecido.

Imediatamente, começou a operação de perfuração. As máquinas foram instaladas sem demora e logo manobravam poderosas brocas, cujas lâminas mordiam as rugosidades do ferro. Algumas semanas mais tarde, a superfície interna do imenso tubo estava perfeitamente cilíndrica e a alma da peça adquirira um polimento perfeito.

Finalmente, em 22 de setembro, menos de um ano após a comunicação de Barbicane, o enorme engenho, rigorosamente calibrado e de uma verticalidade absoluta, obtida graças a instrumentos precisos, estava pronto para funcionar. Faltava apenas a lua, mas todos tinham certeza de que ela não faltaria ao encontro.

A alegria de J.-T. Murchison não conhecia limites e ele quase sofreu uma queda assustadora ao olhar para dentro do tubo de 270 metros. Sem o braço direito de Blombsberry, que o digno coronel havia felizmente conservado, o secretário do Gun Club, qual novo Heróstrato[34], teria encontrado a morte nas profundezas da Columbiad.

O canhão estava, pois, terminado e não havia dúvida possível quanto à perfeição do trabalho. Assim, em 6 de outubro, o capitão Nicholl, muito a contragosto, pagou a aposta ao presidente Barbicane e este inscreveu em seus livros, na coluna das receitas, a soma de dois mil dólares. Devemos crer que a cólera do capitão chegou ao limite extremo e que ele quase caiu doente. Mas havia ainda três apostas de três mil, quatro mil e cinco mil dólares: se ele ganhasse duas, teria feito um negócio bom, embora não excelente. Todavia, o dinheiro não entrava em seus cálculos, e o sucesso do rival na fundição de um canhão ao qual placas de vinte metros não resistiriam lhe assestava um golpe terrível.

---

34 Responsável pela destruição do templo de Artemis, o qual incendiou para se tornar famoso. (N.E.)

Em 23 de setembro, o recinto da Stone's Hill foi totalmente aberto ao público, e é fácil imaginar a afluência de visitantes.

Inúmeros curiosos, vindos de todos os pontos dos Estados Unidos, invadiam a Flórida. A cidade de Tampa havia crescido prodigiosamente nesse ano, consagrado por inteiro aos trabalhos do Gun Club, e já contava com uma população de 150 mil almas. Após englobar o Forte Brooke em sua rede de ruas, agora se alongava pela língua de terra que separa as duas enseadas da Baía do Espírito Santo. Bairros novos, praças novas e toda uma floresta de casas haviam surgido sobre aquelas plagas outrora desertas, ao calor do sol americano. Empresas foram fundadas para a construção de igrejas, escolas e residências particulares, de modo que em menos de um ano a cidade duplicou de extensão.

Sabe-se que os ianques já nascem comerciantes; aonde quer que a sorte os conduza, da zona gelada à zona tórrida, seu instinto comercial se exerce com grande proveito. Por isso, simples curiosos, pessoas que se dirigiram à Flórida com a única finalidade de acompanhar as operações do Gun Club se deixaram arrastar para os negócios tão logo se instalaram em Tampa. Os navios fretados para o transporte de material e operários haviam promovido no porto uma atividade sem paralelo. Logo outros barcos, de todas as formas e tonelagens, carregados de víveres, provisões e mercadorias, singravam a baía e as duas enseadas. Grandes agências de armadores e corretores se estabeleceram na cidade, e a *Shipping Gazette* (Gazeta Marítima) registrava dia a dia as ancoragens no porto de Tampa.

Enquanto as estradas se multiplicavam em torno da cidade, esta, devido ao prodigioso aumento de sua população e de seu comércio, foi enfim ligada por uma ferrovia aos Estados meridionais da União. Um ramal ligou Mobile a Pensacola, o grande arsenal marítimo do Sul; dessa importante localidade, ele se estendeu a Tallahassee. Ali, existia já um pequeno trecho de via férrea com 34 quilômetros, graças ao qual Tallahassee se comunicava com Saint-Marks, situada junto ao mar. Esse trecho é que foi prolongado até Tampa-Town, ressuscitando ou despertando, à sua passagem, as regiões mortas ou adormecidas da Flórida central. Assim, Tampa, graças às maravilhas da indústria devidas à ideia surgida um belo dia na cabeça de um homem, pôde com justiça assumir ares de cidade grande. Apelidaram-na de "Moon City", Cidade da lua, e a capital da Flórida amargou um eclipse total, visível de todos os quadrantes do mundo.

Todos entenderão agora por que a rivalidade foi tão grande entre o Texas e a Flórida e por que os texanos se irritaram tanto quando a escolha do Gun Club acabou com suas pretensões. Em sua sagacidade previdente, eles haviam percebido o que uma região poderia obter da experiência tentada por Barbicane e quanto lucro se arrecadaria com um tiro de canhão. O Texas perdeu assim um grande centro de comércio, estradas de ferro e um considerável aumento de população. Todas essas vantagens couberam àquela miserável península erguida como uma paliçada entre as ondas do golfo e as vagas do Oceano Atlântico. Desse modo, Barbicane partilhou com o general Santa Anna todas as antipatias texanas.

No entanto, embora entregue à sua fúria comercial e a seu ímpeto industrial, a nova população de Tampa-Town nem por isso esqueceu as interessantes operações do Gun Club. Ao contrário. Os mais insignificantes detalhes do empreendimento, os mais leves golpes de enxada os apaixonavam. Foi um ir e vir sem fim entre a cidade e a Stone's Hill – uma procissão, ou, antes, uma peregrinação.

Era de imaginar que, no dia da experiência, a aglomeração de espectadores se contava por milhões, pois vinham de todos os pontos da Terra para congestionar a estreita península. A Europa emigrava para a América.

Mas até então, é preciso dizer, a curiosidade desses numerosos recém-chegados mal tinha sido satisfeita. Muitos esperavam assistir ao espetáculo da fundição e... só viram a fumaça. Isso era pouco para olhos tão ávidos, mas Barbicane não queria admitir a presença de ninguém durante a operação. Daí a raiva, o descontentamento, os murmúrios; censuraram o presidente, acusaram-no de despotismo, declararam seu procedimento "pouco americano". Houve quase um motim em volta das paliçadas da Stone's Hill. Barbicane, já se sabe, permaneceu inabalável em sua decisão.

Mas, depois que a Columbiad ficou pronta, as restrições já não podiam ser mantidas. Não convinha fechar as portas; pior, seria imprudência descontentar os sentimentos públicos. Assim, Barbicane abriu o recinto a quem chegasse, mas, levado por seu espírito prático, resolveu ganhar dinheiro com a curiosidade dos visitantes.

Contemplar a imensa Columbiad já não era pouca coisa; mas descer às suas profundezas, eis o que parecia aos americanos o *nec plus ultra* da felicidade neste mundo. Não houve, pois, um só curioso que não quisesse se dar o prazer de visitar as entranhas daquele abismo de metal. Elevadores suspensos de um sarilho a vapor permitiram aos espectadores satisfazer sua curiosidade. Foi um frenesi. Mulheres, crianças, velhos, todos julgaram seu dever penetrar até o fundo dos mistérios do canhão colossal. O preço da descida foi fixado em cinco dólares por pessoa, preço muito alto; mas, mesmo assim, durante os dois meses que precederam a experiência, o número de pagantes permitiu ao Gun Club embolsar perto de quinhentos mil dólares.

Nem é preciso dizer que os primeiros visitantes da Columbiad foram os membros do Gun Club, privilégio reservado com justiça à ilustre confraria. Essa solenidade ocorreu em 25 de setembro. Um elevador especial desceu o presidente Barbicane, J.-T. Maston, o major Elphiston, o general Morgan, o coronel Blomsberry, o engenheiro Murchison e outros figurões do célebre clube. Ao todo, uma dezena. Fazia ainda muito calor no fundo do comprido tubo de metal. Mal se conseguia respirar. Mas que alegria! Que êxtase! Uma mesa para dez convivas havia sido instalada sobre o maciço de pedra que sustentava a Columbiad, iluminada *a giorno* por um jato de luz elétrica. Pratos refinados e numerosos, que pareciam descer do céu, pousaram sucessivamente diante dos convidados, e os melhores vinhos franceses borbulharam em profusão durante esse esplêndido banquete servido a 270 metros de profundidade.

O festim foi muito animado e até um pouco barulhento; os brindes se entrecruzavam; bebeu-se ao globo terrestre, a seu satélite, ao Gun Club, à União, à lua, a Febe, a Diana, a Selene, ao astro das noites, "à pacífica mensageira do firmamento"! Todos esses hurras, levados pelas ondas sonoras do imenso tubo acústico, chegavam como um trovão à abertura - e a multidão, apinhada em volta da Stone's Hill, se unia de alma e garganta aos gritos dos dez convivas enfurnados nas profundezas da gigantesca Columbiad.

J.-T. Maston não cabia em si de contente. Se gritou mais que gesticulou, se bebeu mais que comeu, eis um ponto difícil de estabelecer. Em todo caso, não trocaria sua situação por um império, "ainda que o canhão, carregado, escorvado e pronto para disparar, o mandasse em pedaços para as vastidões planetárias".

Um telegrama

Os grandes trabalhos empreendidos pelo Gun Club estavam, por assim dizer, terminados. No entanto, faltavam ainda dois meses para o dia em que o projétil seria lançado na direção da lua. Dois meses que, sem dúvida, a impaciência universal encarava como anos! Até então, simples detalhes da operação haviam sido reproduzidos diariamente pelos jornais, que todos devoravam com olhos ávidos e apaixonados; mas era de temer que, doravante, esse "dividendo de novidades" distribuído ao público diminuísse bastante, e cada qual temia não poder mais receber sua parte de emoções cotidianas.

Isso logo acabou. O incidente mais inesperado, mais extraordinário, mais inacreditável, mais inverossímil veio animar novamente os espíritos anelantes e mergulhar o mundo inteiro em um estado de tremenda e incontrolável agitação.

No dia 30 de setembro, às três horas e quarenta e sete minutos da tarde, um telegrama, transmitido pelo cabo estendido entre Valentia, na Irlanda, Terra-Nova e a costa americana, chegou ao endereço de Barbicane.

O presidente abriu o envelope, leu a mensagem e, por mais controlado que fosse, seus lábios empalideceram e seus olhos se anuviaram à leitura da vintena de palavras do telegrama.

Eis o texto da mensagem, que se encontra agora nos arquivos do Gun Club:

França, Paris.

30 de setembro, 4h da manhã.

Barbicane, Tampa, Flórida, Estados Unidos.

Substitua obus esférico por projétil cilíndrico-cônico. Partirei dentro dele. Chego pelo vapor Atlanta.

Michel Ardan

O passageiro do Atlanta

Se essa notícia fulminante, em vez de voar pelos fios elétricos, houvesse chegado simplesmente pelo correio, em envelope lacrado; e se os telegrafistas da França, Irlanda, Terra-Nova e América não estivessem necessariamente a par da mensagem telegráfica, Barbicane saberia muito bem o que fazer. Ficaria calado por medida de prudência e para não comprometer sua obra. Aquele telegrama podia ocultar uma mistificação, sobretudo porque vinha de um francês. Como poderia alguém ser audacioso a ponto de conceber a ideia de semelhante viagem? E se o tal homem existisse, não era um louco que se devia encerrar numa camisa de força e não dentro de uma bala?

Mas o conteúdo do telegrama era conhecido, pois os aparelhos de transmissão são pouco discretos por natureza, e a proposta de Michel Ardan já corria pelos diversos Estados da União. Portanto, Barbicane não tinha nenhum motivo para permanecer calado. Reuniu então seus colegas presentes em Tampa-Town e, sem revelar seu pensamento, sem discutir a credibilidade do telegrama, leu friamente o texto lacônico.

"Não é possível!" "Inacreditável!" "Pura zombaria!" "Estão rindo de nós!" "Ridículo!" "Absurdo!" Toda a série de expressões que servem para exprimir dúvida, incredulidade, asneira e loucura se desdobrou durante alguns instantes, acompanhada dos gestos usados em tais circunstâncias. Só J.-T. Maston teve uma palavra brilhante.

– Boa ideia! – exclamou ele.

– De fato – ponderou o major. – Entretanto, se vez por outra é permitido ter ideias assim, isso ocorre sob a condição de não serem postas em prática.

– Por quê? – replicou vivamente o secretário do Gun Club, pronto a discutir.

Mas ninguém quis lhe dar rédea solta.

Contudo, o nome de Michel Ardan já circulava na cidade de Tampa. Visitantes e moradores se entreolhavam, se interrogavam e ironizavam, não o tal europeu, mas J.-T. Maston, que acreditava na existência daquela figura lendária. Quando Barbicane havia proposto mandar um projétil à lua, todos acharam o empreendimento natural, praticável, puro assunto de balística. Mas que um ser racional se oferecesse para viajar no projétil e tentar uma aventura tão inverossímil, eis o que lhes parecia uma proposta fantasiosa, uma pilhéria, uma farsa e, se é permitido empregar uma palavra para a qual temos a tradução exata em nossa língua, um *humbug*: uma "mistificação".

As zombarias se sucederam sem parar até a noite, e pode-se dizer que a União inteira foi tomada de um riso incontido, o que não é comum em um país onde os projetos impossíveis sempre encontram defensores, adeptos, partidários.

Entretanto, a proposta de Michel Ardan, como qualquer ideia nova, não deixava de espicaçar certos espíritos, o que alterava o curso das emoções corriqueiras. "Não tínhamos pensado nisso!" O incidente logo se tornou uma obsessão por sua própria estranheza. Dava o que pensar. Quanta coisa foi negada ontem e se tornou realidade hoje! Por que uma viagem dessas não se realizaria, mais cedo ou mais tarde? No entanto, o homem que pretendia correr tamanho risco era sem dúvida um doido varrido, pois seu projeto não podia ser levado a sério. Ele devia ter ficado de boca fechada em vez de perturbar toda uma população com seus disparates.

Mas, para início de conversa, esse homem existia mesmo? Boa pergunta! O nome "Michel Ardan" não era desconhecido na América. Já havia sido mencionado por suas aventuras audaciosas. Além do mais, aquele telegrama vindo através das profundezas do Atlântico, a indicação do navio no qual o francês dizia ter reservado passagem, a previsão da data de sua iminente chegada, todas essas circunstâncias davam à proposta certo caráter de verossimilhança. Cabia encarar o fato com prudência. Logo, indivíduos isolados começaram a formar grupos, os grupos se condensaram pela ação da curiosidade como átomos em virtude da atração molecular e, por fim, resultou daí uma multidão compacta que se dirigiu para a residência do presidente Barbicane.

Este, depois da chegada do telegrama, não dissera palavra, deixando que a opinião de J.-T. Maston tivesse livre curso. Não aprovou nem desaprovou; manteve-se nos bastidores, aguardando os acontecimentos. Todavia, não contava com a impaciência pública e viu, contrariado, a população de Tampa juntar-se sob suas janelas. Logo os murmúrios e as vociferações o obrigaram a mostrar-se. Vemos que ele tinha todos os deveres e, portanto, todos os aborrecimentos da fama.

Mostrou-se. Após alguns instantes de silêncio, um cidadão tomou a palavra e perguntou-lhe, sem papas na língua:

– O sujeito designado no telegrama pelo nome de Michel Ardan está a caminho da América? Sim ou não?

– A esse respeito, senhores – foi a resposta –, sei tão pouco quanto vocês.

– Mas é preciso saber – rosnaram vozes impacientes.

– O tempo nos dirá – sentenciou com frieza Barbicane.

– O tempo não tem o direito de manter em suspenso um país inteiro – disse o orador. – O senhor alterou os planos do projétil, conforme pedido no telegrama?

– Ainda não, amigos. Mas têm razão, é preciso saber o que faremos. O telégrafo, que causou tanta balbúrdia, completará as informações.

– Ao telégrafo! Ao telégrafo! – bradou a multidão.

Barbicane desceu e, encabeçando o imenso ajuntamento, dirigiu-se para o escritório da administração.

Minutos depois, uma mensagem era enviada ao representante dos armadores de Liverpool. Pedia-se resposta às seguintes perguntas:

"Que tipo de navio é o *Atlanta*? Quando deixou a Europa? Tem a bordo um francês chamado Michel Ardan?"

Duas horas depois, Barbicane recebia informações de uma precisão que não deixava margem a dúvidas.

"O vapor *Atlanta*, de Liverpool, se fez ao mar em 2 de outubro, rumo a Tampa-Town, levando a bordo um francês inscrito no registro de passageiros com o nome de Michel Ardan."

Ao ver confirmado o primeiro telegrama, os olhos do presidente faiscaram com uma chama súbita; seus punhos se cerraram com força e ouviram-no murmurar:

– Então é verdade! Então é possível! Esse francês existe e, dentro de quinze dias, estará aqui! Mas é um louco, um cérebro transtornado! Jamais consentirei...

No entanto, naquela mesma noite, escreveu à firma Breadwill & Co. determinando que ela suspendesse a fundição do projétil até nova ordem.

É tarefa acima das forças humanas, que seria uma temeridade empreender, relatar a emoção que tomou conta da América inteira; como o efeito da comunicação de Barbicane foi dez vezes superado; o que disseram os jornais da União, o modo como receberam a notícia e o estilo em que exaltaram a chegada do herói do Velho Continente; a agitação febril que se apossou de cada um, ficando todos a contar as horas, os minutos, os segundos. Seria difícil dar uma ideia, mesmo superficial, da obsessão extenuante daqueles cérebros imbuídos de um pensamento único; mostrá-los subjugados por uma única preocupação; enumerar os trabalhos interrompidos, o comércio suspenso, os navios, prestes a levantar âncora, apinhados no porto para não perder a chegada do *Atlanta*; descrever os trens cheios que retornavam vazios, a Baía do Espírito Santo singrada o tempo todo pelos vapores, os paquetes, os iates de veraneio, os barcos ligeiros de todas as dimensões; recensear os milhares de curiosos que quadruplicaram, em quinze dias, a população de Tampa-Town e precisaram se alojar em barracas como um exército em campanha.

Em 20 de outubro, às nove horas da manhã, os vigias dos faróis do Canal das Bahamas detectaram uma espessa fumaça no horizonte. Duas horas depois, um grande vapor trocava com eles sinais de reconhecimento e imediatamente o nome *Atlanta* foi comunicado a Tampa-Town. Às quatro horas, o navio inglês entrava na Baía do Espírito Santo. Às cinco, franqueava a passagem da Baía de Hillisboro a toda velocidade. E, às seis, atracava no porto de Tampa.

A âncora não havia ainda tocado o fundo arenoso e quinhentas embarcações rodearam o *Atlanta*, como que para tomá-lo de assalto. Barbicane adiantou-se, saltou a amurada do navio e, sem poder conter a emoção, gritou:

– Michel Ardan!

– Presente! – respondeu um indivíduo postado no castelo de proa.

Barbicane, de braços cruzados, olhar inquisitivo e lábios cerrados, observou detidamente o passageiro do *Atlanta*.

Era um homem de quarenta e dois anos, grande, mas já um pouco encurvado, parecido às cariátides que suportam sacadas nos ombros.

Sua cabeça leonina sacudia de vez em quando uma cabeleira revolta que mais parecia uma juba. Um rosto curto, largo nas têmporas, ornado por um bigode hirsuto como o dos gatos e por pequenos tufos de pelos amarelados que brotavam das faces, olhos redondos, um pouco desvairados, e um olhar de míope completavam essa fisionomia eminentemente felina. Mas o nariz tinha um desenho atrevido, a boca era bastante humana, a fronte alta, inteligente e sulcada como um campo que nunca esteve inculto. Enfim, um torso robusto, ereto sobre pernas compridas, braços musculosos, verdadeiras alavancas bem articuladas, e um porte decidido faziam daquele europeu um grandalhão solidamente construído, "antes forjado que fundido", para empregar uma expressão da arte metalúrgica.

Os discípulos de Lavater ou de Gratiolet teriam decifrado sem demora, com base no crânio e na fisionomia daquele homem, os sinais indiscutíveis da combatividade. Isto é, da coragem no perigo e da indiferença aos obstáculos; da benevolência e da fantasia, instinto que leva alguns temperamentos a se apaixonar pelas coisas sobre-humanas – mas, em troca, faltavam as marcas do instinto de aquisição e posse.

Para rematar a descrição do tipo físico do passageiro do *Atlanta*, convém assinalar as roupas largas e folgadas, a calça e o paletó feitos com uma abundância tal de tecido que o próprio Michel Ardan costumava se dar o nome de "Devora-Pano". Além disso, a gravata solta, o colarinho aberto, revelando um pescoço robusto, e as mangas invariavelmente desabotoadas, de onde escapavam mãos irrequietas. Percebia-se que, mesmo no auge do inverno e dos perigos, aquele homem não sentia frio – nem sequer nos olhos.

De resto, no convés do vapor, em meio à multidão, ele ia e vinha sem parar, "arrastando a âncora", como diziam os marinheiros, gesticulando, tagarelando com todos e roendo as unhas com uma avidez nervosa. Era uma dessas figuras originais que o Criador inventa em momentos de fantasia e das quais quebra logo o molde.

A personalidade moral de Michel Ardan, com efeito, daria larga margem às observações de um analista. Esse sujeito impressionante vivia numa perpétua disposição à hipérbole e ainda não havia ultrapassado a idade dos superlativos: os objetos chegavam à sua retina em dimensões exageradas, provocando associações de ideias verdadeiramente descomedidas. Via tudo em ponto maior, exceto as dificuldades e os homens.

Era também de uma natureza exuberante, artista por instinto, conversador espirituoso que não desperdiçava sua verve a torto e a direito, mas sabia ser incisivo. Nas discussões, pouco afeito à lógica e rebelde ao silogismo, que por certo jamais teria inventado, saía-se à sua maneira. Agressivo, brandia argumentos *ad hominem* de efeito fulminante e gostava de defender causas perdidas com unhas e dentes.

Entre outras manias, declarava-se "um ignorante sublime", como Shakespeare, e fingia desprezar os sábios: "Pessoas", dizia ele, "que só marcam os pontos enquanto nós jogamos". Era, em suma, um boêmio do país das maravilhas, aventuroso, mas não aventureiro, um ferrabrás, um Faetonte guiando à rédea solta o carro do sol, um Ícaro com asas sobressalentes. De resto, corria riscos e dispunha-se a pagar caro por eles, atirava-se de cabeça erguida aos empreendimentos mais malucos, incendiava seus navios mais apressadamente ainda que Agátocles e, pronto para tudo, por maior que fosse a queda, acabava invariavelmente caindo de pé, como os bonequinhos de sabugo com que se divertem as crianças.

Sua divisa sucinta era "Pouco importa!", e o amor ao impossível sua "*ruling passion*[35]", segundo a bela expressão de Pope.

No entanto, esse grande empreendedor tinha todos os defeitos de suas qualidades! Quem não arrisca não petisca, costuma-se dizer. Ardan arriscava sempre e não petiscava nunca! Era um carrasco de dinheiro, um tonel das Danaides. Mas, homem absolutamente desinteressado,

35 Paixão dominante. (N.O.)

usava o coração tanto quanto a cabeça: caridoso, cavalheiresco, incapaz de mandar para a forca seu pior inimigo e pronto a se vender como escravo para resgatar um negro.

Na França, na Europa, todos conheciam essa figura brilhante e espalhafatosa. Pusera a seu serviço as cem vozes da Fama, para que ninguém deixasse de falar dele. Morava por assim dizer em uma casa de vidro, tomando o universo inteiro por confidente de seus mais íntimos segredos. Mas tinha também uma admirável coleção de inimigos, a quem havia ofendido, machucado, derrubado sem misericórdia para abrir caminho na multidão.

Contudo, de modo geral, as pessoas o estimavam, tratando-o como uma criança mimada. Era, na expressão popular, "um homem para pegar ou largar" – e pegavam-no. Todos se interessavam por suas peripécias e as acompanhavam com olhar inquieto. Sabiam que ele era imprudentemente audacioso! Quando um amigo queria detê-lo, predizendo-lhe uma catástrofe inevitável, ele respondia com um sorriso amistoso, sem saber que citava o mais belo de todos os provérbios árabes: "A floresta é queimada pela madeira de suas próprias árvores".

Tal era aquele passageiro do *Atlanta*, sempre agitado, sempre aquecido por um fogo interior, sempre impetuoso, não pelo que viera fazer na América – nem pensava nisso –, mas por efeito de sua organização irrequieta. Se jamais dois indivíduos ofereceram um contraste tão gritante, esses foram o francês Michel Ardan e o ianque Barbicane – ambos, porém, empreendedores, corajosos e ousados à sua maneira.

A contemplação a que se abandonava o presidente do Gun Club em presença do rival vindo de longe para relegá-lo a segundo plano foi logo interrompida pelos hurras e vivas da multidão. Os gritos se tornaram tão frenéticos e o entusiasmo assumiu um caráter a tal ponto pessoal que Michel Ardan, depois de apertar milhares de mãos nas quais pouco faltou para que deixasse seus dez dedos, precisou se refugiar em sua cabine.

Barbicane seguiu-o sem dizer palavra.

– O senhor é Barbicane? – perguntou Michel Ardan quando se viram sozinhos e no tom com que falaria a um amigo de vinte anos.

– Sim – respondeu o presidente do Gun Club.

– Bom dia, então, Barbicane! Como vai? Tudo em ordem? Tanto melhor, tanto melhor!

– Indo direto ao assunto – atalhou Barbicane –, está mesmo decidido a partir?

– Absolutamente decidido.

– Nada o deterá?

– Nada. Modificou o projeto, conforme sugeri no telegrama?

– Eu estava esperando sua chegada. Mas refletiu bem a respeito? – insistiu Barbicane.

– E lá tenho tempo a perder? Encontro a oportunidade de passear na lua, aproveito-a e é tudo. Não me parece que isso mereça muita reflexão.

Barbicane devorava com o olhar aquele homem que falava com tamanha leviandade e despreocupação, sem trair o mínimo receio.

– Mas, ao menos, tem um plano?

– E excelente, meu caro Barbicane. Mas permita-me fazer uma observação. Gosto de contar minha história uma vez só e não voltar mais ao assunto. Isso evita repetições. Portanto, se o desejar, convoque seus amigos, seus colegas, a cidade, a Flórida, a América inteira e amanhã estarei pronto para explicar meu plano e responder às objeções, sejam quais forem. Fique tranquilo, não me esquivarei a nada. Está bem assim?

– Está – respondeu Barbicane.

Em seguida, o presidente saiu da cabine e comunicou à multidão a proposta de Michel Ardan. Suas palavras foram acolhidas com entusiasmo e gritos de júbilo. Aquilo resolvia tudo. No dia seguinte, todos poderiam admirar à vontade o herói europeu. No entanto, alguns espectadores mais teimosos não quiseram deixar o convés do *Atlanta* e passaram a noite a bordo. J.-T. Maston, por exemplo, encaixara seu gancho na amurada e teria sido preciso um cabrestante para arrancá-lo de lá.

– É um herói! Um herói! – bradava a multidão em todos os tons. – E nós somos apenas umas donzelas perto desse europeu!

Quanto ao presidente, após pedir aos visitantes que se retirassem, voltou à cabine do passageiro e só saiu quando o sino do vapor bateu o quarto da meia-noite.

Mas então os dois rivais em popularidade já se davam calorosamente as mãos, e Michel Ardan tratava familiarmente Barbicane.

Uma meeting[36]

No dia seguinte, o astro do dia se ergueu bem tarde, para a impaciência dos curiosos. Eles acharam muito preguiçoso um sol que devia iluminar semelhante festa. Barbicane, temendo que fizessem perguntas indiscretas a Michel Ardan, teria preferido reduzir os ouvintes a um pequeno número de adeptos – a seus colegas, por exemplo. Mas seria o mesmo que tentar represar o Niágara. Teve de renunciar a seus projetos e deixar o novo amigo correr o risco de uma conferência pública. A sala recém-inaugurada da Bolsa de Tampa-Town, apesar de suas dimensões colossais, foi considerada insuficiente para a cerimônia, pois o encontro projetado tomava as proporções de uma verdadeira convenção.

O local escolhido foi uma vasta planície situada nas imediações da cidade. Em algumas horas conseguiu-se protegê-la dos raios solares. Os navios atracados no porto, repletos de velas, cordame, mastros e vergas sobressalentes, forneceram o material necessário à montagem de uma

36 Convenção, está em inglês no original. (N.E.)

tenda enorme. Logo, um imenso céu de pano se estendia sobre a planície calcinada e a poupava aos ardores do dia. Ali, trezentas mil pessoas tomaram lugar e enfrentaram durante várias horas uma temperatura sufocante, à espera do francês. Da multidão de espectadores, o primeiro terço podia ver e ouvir; o segundo via mal e ouvia pouco; o terceiro não via nem ouvia nada. Mas, mesmo assim, aplaudia tanto quanto os outros.

Às três horas, Michel Ardan apareceu, acompanhado pelos principais membros do Gun Club. Dava o braço direito ao presidente Barbicane, e o esquerdo a J.-T. Maston, que vinha quase tão radioso e ofuscante quanto o sol do meio-dia. Ardan subiu a um estrado, de onde avistava um oceano de chapéus pretos. Não parecia de modo algum embaraçado; não fazia pose; estava como que em casa, alegre, simples, amável. Aos hurras que o acolheram, respondeu com uma saudação graciosa. Em seguida, erguendo a mão, pediu silêncio e tomou a palavra em inglês, exprimindo-se com muita correção nos seguintes termos:

– Senhores, embora faça muito calor, vou abusar de sua paciência para lhes dar algumas explicações sobre os projetos que parecem ter despertado seu interesse. Não sou nem orador nem cientista e não pensava em falar publicamente; mas meu amigo Barbicane me garantiu que isso lhes agradaria e cedi. Portanto, ouçam-me com seus seiscentos mil ouvidos e desculpem as falhas do autor.

Esse início pouco cerimonioso agradou muito aos assistentes, que exprimiram concordância com um imenso murmúrio de contentamento.

– Senhores – continuou ele –, não proíbo nenhuma palavra de aprovação ou desaprovação. Dito isso, começo. Não esqueçam, em primeiro lugar, que estão na presença de um ignorante, cuja ignorância é tamanha que ele ignora até as dificuldades. Pareceu-lhe então que era coisa simples, natural e fácil embarcar em um projétil e partir para a lua. Essa viagem deve acontecer cedo ou tarde e, quanto ao modo de locomoção adotado, segue naturalmente a lei do progresso. O homem começou por viajar com quatro patas; depois, um belo dia, com dois pés; depois, de carroça; depois, de diligência; depois, de barco; depois, de carruagem; depois, de trem. Ora, o projétil é o veículo do futuro e, a bem dizer, os planetas nada mais são que isso, simples balas de canhão disparadas pela mão do Criador. Mas voltemos ao nosso veículo. Alguns de vocês, senhores, podem achar que sua velocidade será excessiva. Não será. Todos os astros são mais velozes, e a própria Terra, em seu movimento de translação em volta do sol, nos arrasta três vezes mais depressa. Eis alguns exemplos. Somente peço-lhes permissão para me exprimir em léguas, pois não conheço bem as medidas americanas e temo errar nos cálculos.

Esse pedido pareceu aceitável e não enfrentou nenhuma dificuldade. O orador retomou o discurso:

– Aqui está, senhores, a velocidade dos diferentes planetas. Devo dizer que, malgrado minha ignorância, conheço com muita exatidão esse simples detalhe astronômico. Mas vocês também, dentro de dois minutos, ficarão sabendo o mesmo que eu. Netuno faz cinco mil léguas por hora; Urano, sete mil; Saturno, oito mil; Júpiter, 11.675; Marte, 22.858; a Terra, 27.500; Vênus, 32.190; Mercúrio, 52.520; alguns cometas, cento e quarenta mil em seu periélio! Quanto a nós, simples passeadores, gente pouco apressada, nossa velocidade não ultrapassará 1.900 libras e irá decrescendo sempre! Pergunto-lhes: há aí motivo de espanto, já que essa velocidade será ultrapassada algum dia por outras ainda maiores, das quais a luz ou a eletricidade funcionarão talvez como os agentes mecânicos?

Ninguém, aparentemente, pôs em dúvida essa afirmação de Michel Ardan.

– Meus caros ouvintes – prosseguiu ele –, a crermos em certos espíritos acanhados (é o adjetivo que lhes convém), a humanidade ficará encerrada para sempre num círculo de Popílio[37] e condenada a vegetar

37 Cônsul romano enviado para negociar com Antíoco e evitar um ataque deste a Alexandria. Dizem que conseguiu o feito circulando Antíoco com seu cajado e exigindo uma resposta sobre o assunto antes de liberá-lo. (N.E.)

neste globo sem jamais se lançar aos espaços planetários! Não será assim! Iremos à lua, iremos aos planetas, iremos às estrelas como se vai hoje de Liverpool a Nova Iorque, facilmente, rapidamente e em segurança. O oceano atmosférico logo será cruzado como os oceanos da lua! A distância é apenas uma palavra relativa e acabará por se reduzir a zero.

A assembleia, embora bastante disposta em favor do herói francês, permaneceu um pouco interdita diante dessa audaciosa teoria. Michel Ardan pareceu compreender a hesitação.

– Não estão convencidos, meus caros anfitriões? – prosseguiu ele, com um sorriso amável. – Mas raciocinemos. Sabem quanto tempo um trem expresso levaria para chegar à lua? Trezentos dias. Nada mais. Um trajeto de 86.410 léguas, sim, mas o que vem a ser isso? Nem sequer nove vezes a circunferência da Terra, e não há marinheiro veterano que não tenha percorrido uma distância maior ao longo de sua existência. Pensem também que minha viagem durará apenas noventa e sete horas! Ah, vocês acham que a lua está muito distante e que é preciso pensar duas vezes antes de tentar a aventura! Mas o que diriam se fosse o caso de ir a Netuno, que gravita a 1.147 milhões de léguas do sol? Eis uma viagem que poucas pessoas poderiam fazer, mesmo que custasse cinco centavos por quilômetro! Nem o barão de Rothschild, com seu bilhão, teria com que pagar a passagem e, sem 147 milhões, ficaria no meio do caminho!

Esse tipo de argumentação parcceu agradar bastante à assembleia, não bastasse o fato de Michel Ardan, entusiasmado pelo assunto, abordá-lo com uma veemência soberba. Sentindo que o escutavam avidamente, prosseguiu, com admirável segurança:

– Pois bem, meus amigos! A distância de Netuno ao sol não é nada se a compararmos à das estrelas. Com efeito, para calcular o afastamento desses astros, é preciso usar uma numeração atordoante, em que o menor número tem nove algarismos, e tomar o bilhão por unidade. Peço-lhes desculpas por insistir nesse ponto, mas ele é de enorme interesse. Escutem e julguem! Alfa Centauro está a 8 mil bilhões de quilômetros; Vega e Sirius, a 50 mil bilhões; Arcturo, a 52 mil bilhões; a estrela Polar, a 117 mil bilhões; a Cabra, a 170 mil bilhões; as outras, a milhares e milhões de bilhões! E ainda se quer falar da distância que separa os planetas do sol! E ainda se insiste em que essa distância existe! Erro! Falsidade! Aberração dos sentidos! Sabem o que penso deste mundo que começa no astro radioso e termina em Netuno? Querem conhecer minha teoria? Pois ela é bem simples: para mim, o mundo solar é um corpo sólido, homogêneo; os planetas que o compõem se espremem, se tocam, aderem uns aos outros, deixando entre si um espaço equivalente ao que separa as moléculas do metal mais compacto, prata ou ferro, ouro ou platina! Posso então afirmar, com uma certeza que sem dúvida não deixará vocês indiferentes: a distância é uma palavra vã, a distância não existe!

– Muito bem! Bravo! Hurra! – explodiu a uma só voz a assembleia, eletrizada pelo gesto, pelo tom, pelas concepções ousadas do orador.

– É isso mesmo! – bradou J.-T. Maston, mais energicamente que os outros. – A distância não existe!

E, transportado pela violência de seus movimentos, pelo ímpeto de seu corpo que mal conseguia dominar, quase caiu ao chão do alto do palanque. Mas conseguiu recuperar o equilíbrio e evitou uma queda que lhe teria provado, de maneira brutal, que a distância não era uma palavra vazia. Em seguida, o discurso do envolvente orador prosseguiu:

– Meus amigos, creio que essa questão está em definitivo resolvida. Se não convenci a todos foi por ter sido tímido em minhas demonstrações e fraco em meus argumentos, o que se deve pôr na conta de meus estudos teóricos insuficientes. Seja como for, repito: a distância da Terra a seu satélite é realmente pouco importante e indigna de preocupar um espírito sério. Portanto, não creio exagerar dizendo que logo construiremos comboios de projéteis dentro dos quais se fará comodamente a viagem da Terra à lua. Não será preciso temer sacolejos, choques ou descarrilamentos; alcançaremos nosso destino rapidamente, sem fadiga, em linha reta, "a voo de abelha", como dizem os caçadores daqui. Antes de vinte anos, metade da Terra terá visitado a lua!

– Viva! Viva Michel Ardan! – gritaram os assistentes, até os menos convencidos.

– Viva Barbicane! – interveio modestamente o orador.

Essa mostra de gratidão ao promotor do empreendimento foi acolhida com aplausos unânimes.

– Agora, meus amigos – continuou Michel Ardan –, se tiverem perguntas a fazer, deixarão certamente embaraçado um pobre homem como eu. Mas procurarei responder a todas.

Até aí, o presidente do Gun Club parecia satisfeito com o rumo da discussão. Esta versava sobre as especulações nas quais Michel Ardan, arrebatado por sua imaginação muito viva, se mostrava absolutamente magnífico. Agora, era preciso impedi-lo de se desviar para questões práticas, em que sem dúvida se revelaria menos brilhante. Barbicane se apressou então a tomar a palavra e perguntou a seu novo amigo se pensava que a lua ou os planetas fossem habitados.

– Pergunta difícil, meu digno presidente – respondeu o orador, sorrindo. – Entretanto, se não me engano, homens de grande inteligência como Plutarco, Swedenborg, Bernardin de Saint-Pierre e muitos outros achavam que sim. Adotando o ponto de vista da ciência natural, eu me inclinaria a pensar como eles. Diria que nada de inútil existe neste mundo. Mas respondo à sua pergunta com outra, amigo Barbicane: se os mundos são habitáveis, então não é lícito pensar que devem ser habitados, já o foram ou ainda o serão?

– Muito bem! – gritaram as primeiras filas dos espectadores, cuja opinião tinha força de lei para as demais.

– Não se poderia responder com mais lógica e propriedade – reconheceu o presidente do Gun Club. – Mas insisto na pergunta: os mundos são habitados? De minha parte, acho que sim.

– E eu tenho certeza – afirmou Michel Ardan.

– Contudo – aparteou um dos assistentes –, há argumentos contra a habitabilidade dos mundos. Seria necessário, é claro, que na maior parte deles os princípios da vida fossem modificados. Assim, para só falar dos planetas, ficaríamos queimados em uns e gelados em outros, conforme estejam mais ou menos afastados do sol.

– Lamento – respondeu Michel Ardan – não conhecer pessoalmente meu honorável contraditor, mas tentarei responder-lhe. Sua objeção tem peso, embora eu acredite que se possa removê-la com algum sucesso, bem como a todas que tomem por objeto a habitabilidade dos mundos. Se eu fosse físico, diria que, como existe menor valor calórico em movimento nos planetas vizinhos do sol e, ao contrário, mais nos planetas afastados, só esse fenômeno basta para equilibrar o calor e tornar a temperatura deles suportável a seres organizados como nós. Se eu fosse naturalista, observaria que, segundo vários sábios ilustres, a natureza nos fornece exemplos de animais terrestres vivendo em condições bem diferentes de habitabilidade; que os peixes respiram em um meio mortal aos outros bichos; que os anfíbios têm uma existência dupla difícil de explicar; que alguns habitantes dos mares sobrevivem em camadas de enorme profundidade e aí suportam, sem ser esmagados, pressões de cinquenta ou sessenta atmosferas; que diversos insetos aquáticos, insensíveis à temperatura, podem ser encontrados tanto em fontes de água fervente quanto nas planícies geladas do Oceano Polar; que, enfim, é preciso reconhecer na natureza uma diversidade de meios de ação frequentemente incompreensível, mas não menos real, que beira a onipotência. Se eu fosse químico, explicaria que os aerólitos, esses corpos formados evidentemente fora do mundo terrestre, revelaram após análise traços indiscutíveis de carbono; que essa substância se origina de seres organizados e que, segundo as experiências de Reichenbach, ela deve ter sido necessariamente "animalizada". Se, enfim, eu fosse teólogo, diria que a Redenção divina parece, a crermos em

São Paulo, aplicar-se não apenas à Terra, mas a todos os mundos celestes. Porém, não sou teólogo, químico, naturalista ou físico. Assim, em minha ignorância crassa das grandes leis que regem o universo, limito-me a responder: não sei se os mundos são habitados e, por não saber, vou descobrir!

O adversário das teorias de Michel Ardan arriscou-se acaso a outros argumentos? Impossível dizer, pois os gritos frenéticos da multidão teriam impedido que qualquer opinião se fizesse ouvir. Quando o silêncio se restabeleceu até nos grupos mais afastados, o triunfante orador limitou-se a acrescentar as considerações seguintes:

– Os senhores talvez pensem, bravos ianques, que tratei de maneira muito sumária uma questão de tal porte. É que não vim aqui lhes ministrar um curso público e defender uma tese sobre assunto tão vasto. Existe toda uma série de argumentos diferentes em favor da habitabilidade dos mundos, mas deixo-a de lado. Permitam-me insistir apenas em um ponto. Às pessoas para as quais os planetas não são habitados, cumpre responder: podem ter razão caso se demonstre que a Terra é o melhor dos mundos possíveis, mas ela não é, apesar do que disse Voltaire. Tem apenas um satélite, enquanto Júpiter, Urano, Saturno e Netuno contam com vários a seu serviço, vantagem que não se deve desdenhar. Entretanto, o que mais torna nosso globo pouco confortável é a inclinação de seu eixo em relação à sua órbita. Essa é a causa da diferença entre os dias e as noites, bem como da diversidade incômoda das estações. Em nosso infeliz esferoide, sempre faz muito calor ou muito frio; gelamos no inverno, queimamos no verão; é o planeta dos resfriados, das corizas e das congestões de peito, ao passo que na superfície de Júpiter, por exemplo, onde o eixo é muito pouco inclinado em relação à órbita (apenas três graus e cinco minutos), os habitantes poderiam gozar de temperaturas invariáveis. Há a zona das primaveras, a zona dos verões, a zona dos outonos e a zona dos invernos perpétuos; cada jupiteriano escolheria o clima que lhe aprouvesse, pondo-se a vida inteira ao abrigo das variações de temperatura. Sem dúvida reconhecerão facilmente a superioridade de Júpiter em relação ao nosso planeta, sem falar de seus anos, que equivalem a doze dos nossos! Além disso, é evidente para mim que, sob esses auspícios e dentro dessas condições maravilhosas de existência, os habitantes daquele mundo afortunado são seres superiores, seus sábios são mais sábios, seus artistas, mais artistas, seus maus, menos maus e seus bons são melhores. Que falta ao nosso esferoide para atingir essa perfeição? Pouca coisa: um eixo de rotação menos inclinado em relação à órbita.

– Pois bem – gritou uma voz impetuosa –, unamos nossos esforços, inventemos máquinas e endireitemos o eixo da Terra!

Um trovão de aplausos explodiu a essa proposta, cujo autor era – e não podia deixar de ser – J.-T. Maston. Provavelmente, o fogoso secretário havia sido levado por seus instintos de engenheiro a arriscar essa ousada sugestão. (Mas – temos de dizê-lo, pois é verdade – muitos o apoiaram com seus gritos e, sem dúvida, se contassem com o ponto de apoio reclamado por Arquimedes, os americanos teriam construído uma alavanca capaz de erguer o mundo e corrigir seu eixo. Mas ponto de apoio era o que faltava a esses temerários mecânicos.)

Não obstante, uma ideia tão "eminentemente prática" só podia lograr um êxito enorme; a discussão foi suspensa durante um bom quarto de hora e por muito, muito tempo se falou nos Estados Unidos da América sobre a proposta formulada tão energicamente pelo secretário perpétuo do Gun Club.

Ataque e réplica

Esse incidente parecia destinado a encerrar a discussão. Era "a palavra definitiva" e não se encontraria melhor. No entanto, quando a agitação se acalmou, ouviram-se estas palavras pronunciadas com voz forte e severa:

– Agora que o orador deu rédea solta à fantasia, quererá entrar de vez no assunto, tecer menos teorias e discutir a parte prática de sua expedição?

Todos os olhares se voltaram para o importuno que falava assim. Era um homem magro, seco, de aparência enérgica, com uma barba à americana que lhe escondia o queixo. Graças às agitações produzidas na assembleia, ele conseguira aos poucos chegar à primeira fila de espectadores. Ali, de braços cruzados, olhos brilhantes e atrevidos, fitava imperturbável o herói do encontro. Depois de formular sua pergunta, calou-se e não pareceu dar a mínima importância aos milhares de olhares que convergiam para ele nem ao murmúrio de desaprovação suscitado por suas palavras. A resposta tardava; o homem repetiu a pergunta no mesmo tom claro e preciso. Em seguida, acrescentou:

– Estamos aqui para nos ocupar da lua e não da Terra.

– Tem razão, senhor – respondeu Michel Ardan. – A discussão enveredou por outro caminho. Voltemos à lua.

– O senhor afirma – insistiu o desconhecido – que nosso satélite é habitado. Pois bem. Mas, se existem selenitas, essa gente decerto vive sem respirar, uma vez que (e digo isso em seu interesse) não existe uma única molécula de ar na superfície da lua.

A essa declaração, Ardan sacudiu sua juba avermelhada; compreendeu que iria travar com aquele homem uma luta em torno do ponto crucial da questão. Olhou-o fixamente por seu turno e disse:

– Ah, não existe ar na lua? E quem afirma isso, por favor?

– Os sábios.

– Verdade?

– Verdade.

– Senhor – continuou Michel –, brincadeiras à parte, estimo profundamente os sábios que sabem, mas sinto um enorme desdém por sábios que não sabem.

– Conhece alguns que pertençam a esta última categoria?

– Conheço muito bem. Na França, um deles declara que, "matematicamente", um pássaro não pode voar, e outro demonstra, com suas teorias, que o peixe não foi feito para viver dentro da água.

– Não se trata disso, senhor, e posso citar em apoio de minha proposição nomes que o amigo não desabonaria.

– Assim o senhor deixa muitíssimo embaraçado um pobre ignorante que só pede para ser instruído!

– Então por que aborda temas científicos que ignora? – perguntou grosseiramente o desconhecido.

– Por quê! Porque quem não conhece o perigo sempre se mostra corajoso. Eu não conheço nada, confesso-o, mas é justamente minha fraqueza que faz minha força.

– Sua fraqueza beira a loucura! – gritou o desconhecido, furioso.

– Tanto melhor! – replicou o francês. – Minha loucura me levará à lua!

Barbicane e seus colegas devoravam com o olhar aquele intruso que vinha, tão ousadamente, se meter no empreendimento. Ninguém o conhecia; e o presidente, pouco seguro quanto às consequências daquela discussão tão franca, observava seu novo amigo com certa apreensão. A assembleia estava alerta e visivelmente inquieta, pois aquela disputa tinha por resultado chamar atenção para os perigos ou mesmo para as reais impossibilidades da expedição.

– Senhor – prosseguiu o adversário de Michel Ardan –, são numerosas e indiscutíveis as razões que provam a ausência total de atmosfera em torno da lua. *A priori*, eu diria mesmo que, se essa atmosfera já existiu, foi absorvida pela Terra. Mas prefiro apresentar fatos irrecusáveis.

– Apresente, senhor – convidou Michel Ardan com perfeita galanteria. – Apresente o que quiser!

– O senhor sabe – continuou o desconhecido – que, quando os raios luminosos atravessam um meio como o ar, são desviados da linha reta ou, em outras palavras, sofrem refração. Pois bem, quando as estrelas são veladas pela lua, jamais os raios que se projetam delas, roçando as bordas do disco lunar, revelam o menor desvio, não dando o mínimo indício de refração. Daí a consequência óbvia: a lua não é rodeada de uma atmosfera.

Todos olharam para o francês, pois, admitida a premissa, seguiam-se conclusões rigorosas.

– Com efeito – reconheceu Michel Ardan –, esse é seu melhor argumento, para não dizer o único, e um cientista se sentiria talvez embaraçado para responder. Quanto a mim, direi apenas que esse argumento não tem valor absoluto, já que supõe o diâmetro angular da lua perfeitamente determinado, o que não acontece. Mas ignoremos isso. Diga-me, meu caro senhor, se admite a existência de vulcões na superfície da lua.

– De vulcões extintos, sim; em atividade, não.

– Devo crer então, sem ultrapassar os limites da lógica, que esses vulcões estiveram em atividade durante certo período.

– Sem dúvida. Mas, como talvez eles mesmos fornecessem o oxigênio necessário à combustão, suas erupções não provam de maneira alguma a presença de atmosfera lunar.

– Adiante – replicou Michel Ardan. – Esqueçamos esse tipo de argumento para chegar às observações diretas. Mas previno-o de que vou citar nomes.

– Cite.

– Cito. Em 1715, os astrônomos Louville e Halley, observando o eclipse de 3 de maio, notaram certas incandescências de natureza bizarra. Esses clarões, rápidos e frequentemente renovados, foram atribuídos por eles a tempestades desencadeadas na atmosfera da lua.

– Em 1715 – replicou o desconhecido –, os astrônomos Louville e Halley tomaram por fenômenos lunares fenômenos puramente terrestres, como aerólitos e outros, que se produzem em nossa atmosfera. É assim que os cientistas interpretam o fato e respondo com base no que eles dizem.

– Adiante, então – continuou Ardan, sem se perturbar com a resposta. – Herschell, em 1787, não observou vários pontos luminosos na superfície da lua?

– Sim. Mas, sem explicar a origem desses pontos, o próprio Herschell não concluiu que sua aparição provava a existência de uma atmosfera da lua.

– Boa resposta – disse Michel Ardan, cumprimentando seu adversário. – Vejo que é bastante versado em selenografia.

– Bastante, senhor. E acrescentarei que os mais hábeis observadores, aqueles que melhor estudaram o astro das noites, Beer e Moelder, estão de acordo em que não existe nenhum ar em sua superfície.

Notou-se um movimento na assistência, que pareceu tocada pelos argumentos daquele personagem singular.

– Mais uma vez, deixemos isso de lado – respondeu Michel Ardan com muita calma. – Tratemos agora de um fato importante. Um arguto astrônomo francês, Laussedat, observando o eclipse de 18 de julho de 1860, constatou que as pontas do crescente solar estavam arredondadas e truncadas. Ora, esse fenômeno só podia ter sido produzido pelo desvio dos raios solares através da atmosfera da lua! Não há outra explicação possível.

– Mas isso aconteceu mesmo? – atalhou vivamente o desconhecido.

– Sem nenhuma dúvida!

Um movimento inverso reaproximou a assembleia de seu herói favorito, cujo adversário não abriu a boca. Ardan retomou a palavra e, sem se gabar de sua última vantagem, disse simplesmente:

– Já vê o senhor que não podemos nos pronunciar de maneira absoluta contra a possibilidade de uma atmosfera na superfície da lua. Essa atmosfera é, provavelmente, pouco densa, muito sutil; mas, de modo geral, hoje a ciência admite sua existência.

– Não nas montanhas, queira me desculpar – replicou o desconhecido, que não queria dar o braço a torcer.

– Mas nos vales, sim, embora não ultrapasse algumas centenas de metros.

– Em todo caso, o senhor andaria bem se tomasse algumas precauções, pois essa atmosfera deve ser terrivelmente rarefeita.

– Oh, meu amigo, sempre haverá o bastante para uma pessoa só! Além disso, uma vez lá em cima, procurarei economizá-la ao máximo, só respirando nas grandes ocasiões!

Uma formidável explosão de riso sacudiu as orelhas do misterioso interlocutor, que passeou o olhar pela assembleia, desafiando-a com altivez.

– Então – volveu Michel Ardan, tranquilo –, já que estamos de acordo quanto à presença de certa quantidade de atmosfera, somos forçados a admitir a presença de certa quantidade de água. É uma consequência que me deixa muito satisfeito. Mas, meu caro contraditor, permita-me fazer outra observação. Só conhecemos uma das duas faces da lua e, se há pouco ar naquela que está voltada para nós, talvez haja muito naquela que não vemos.

– E por quê?

– Porque a lua, atraída pela Terra, tomou a forma de um ovo do qual só avistamos a extremidade menor. Assim, pelos cálculos de Hansen, seu centro de gravidade se situa no outro hemisfério. Daí a conclusão de que todas as massas de ar e água devem ter sido arrastadas para a face oculta de nosso satélite nos primeiros dias de sua criação.

– Fantasias! – zombou o desconhecido.

– Não, teorias válidas, apoiadas pelas leis da mecânica e difíceis de refutar. Apelo, pois, a essa assembleia e ponho em votação o problema de saber se a vida, tal qual existe na Terra, é possível na superfície da lua.

Trezentos mil ouvintes aplaudiram ao mesmo tempo a proposta. O adversário de Michel Ardan ainda quis falar, mas já ninguém o ouvia. Gritos e ameaças desabavam sobre ele como granizo.

– Chega! Chega! – gritavam uns.

– Expulsem esse intruso! – rugiam outros.

– Fora! Fora! – bradava a multidão, irritada.

Mas ele, firme e agarrado ao palanque, não se movia, esperando passar a tormenta – que teria tomado proporções formidáveis se Michel Ardan não a apaziguasse com um gesto. Era cavalheiresco demais para abandonar seu contraditor em semelhante situação.

– Quer dizer mais algumas palavras? – perguntou-lhe num tom amistoso.

– Sim, cem mil! – retrucou o desconhecido, exaltado. – Ou melhor, uma só! Se vai mesmo tentar essa aventura, então o senhor deve ser...

– Imprudente! Como pode dizer isso de mim, que pedi um projétil cilíndrico-cônico ao meu amigo Barbicane para não ficar girando como um esquilo?

– Mas, desgraçado, o abalo inicial do tiro o fará em pedaços!

– Meu caro contraditor, acaba de pôr o dedo na única e verdadeira dificuldade. No entanto, como tenho em grande conta o gênio industrial dos americanos, acredito que vão resolvê-la.

– E quanto ao calor provocado pela velocidade do projétil atravessando as camadas de ar?

– Oh, suas paredes são espessas e logo sairei da atmosfera!

– E os víveres? A água?

– Segundo meus cálculos, poderei levá-los para um ano, e minha travessia durará quatro dias.

– E o ar para respirar durante o trajeto?

– Recorrerei a processos químicos.

– E a queda na lua, se chegar lá?

– Será seis vezes mais lenta que na Terra, pois o peso é seis vezes menor na face da lua.

– Mas, ainda assim, bastará para espatifá-lo como vidro.

– Quem me impedirá de retardar a queda por meio de foguetes convenientemente dispostos e acesos na hora certa?

– Mas, enfim, supondo que todas as dificuldades sejam superadas, que todos os obstáculos sejam removidos, que todas as chances o favoreçam, que chegue são e salvo à lua... como voltará?

– Não voltarei.

A essa resposta, que beirava o sublime pela singeleza, a assembleia emudeceu. Mas seu silêncio foi mais eloquente do que teriam sido seus gritos de entusiasmo. O intruso se aproveitou disso para protestar uma última vez.

– O senhor se matará – bradou ele –, e sua morte será apenas a morte de um insensato, sem proveito algum para a ciência!

– Continue, generoso desconhecido, pois suas profecias são verdadeiramente muito agradáveis!

– Ah, é demais! – gritou o adversário de Michel Ardan. – Nem sei por que continuo uma discussão tão pouco séria! Vá em frente, como quiser, com essa louca aventura! A culpa não é sua!

– Ora, não faça cerimônia, por favor!

– Não, é a outro que cabe a responsabilidade de seus atos!

– E pode me dizer a quem? – perguntou Michel Ardan em tom imperioso.

– Ao ignorante que organizou essa tentativa ao mesmo tempo impossível e ridícula!

A acusação era direta. Barbicane, desde a intervenção do desconhecido, fazia violentos esforços para se conter e "queimar sua própria fumaça", como certas fornalhas de caldeiras; mas, diante do ultraje, levantou-se de um pulo e ia avançar contra o adversário que o ofendia quando se viu de repente isolado dele.

O palanque foi imediatamente levantado por cem braços vigorosos, e o presidente do Gun Club teve de partilhar com Michel Ardan as honras do triunfo. O peso era grande, mas os carregadores se revezavam o tempo todo, e cada qual se adiantava, lutava, combatia para prestar àquela manifestação o apoio de seus ombros.

Todavia, o desconhecido não se aproveitou do tumulto para escapar. Poderia, aliás, fazer isso no meio daquela multidão compacta? Não, decerto. Seja como for, mantinha-se na primeira fila, de braços cruzados, e devorava com o olhar o presidente Barbicane.

Este, por sua vez, não o perdia de vista, e os olhares dos dois homens se cruzavam como espadas dardejantes.

Os gritos da imensa multidão permaneciam no máximo de intensidade durante a marcha triunfal. Michel Ardan se deixava ir com um prazer indisfarçável. Seu rosto brilhava. De vez em quando, o estrado se sacudia como um navio batido pelas ondas. Mas os dois heróis do encontro tinham pés de marinheiro e não vacilavam, de modo que o barco chegou sem avarias ao porto de Tampa-Town. Michel Ardan conseguiu, aliviado, furtar-se aos últimos abraços de seus vigorosos admiradores e fugiu para o Hotel Franklin. Ali, correu para o quarto e meteu-se rapidamente na cama, enquanto um exército de cem mil homens velava sob suas janelas.

Durante esse tempo, uma cena curta, grave e decisiva ocorria entre o homem misterioso e o presidente do Gun Club.

Barbicane, finalmente livre, fora direto a seu adversário.

– Venha! – disse apenas. O outro o seguiu pelo cais e logo os dois se encontravam à entrada de um embarcadouro que dava para a Jone's-Fall.

Ali, os dois inimigos, que ainda não se conheciam, ficaram frente a frente.

– Quem é o senhor? – perguntou Barbicane.

– O capitão Nicholl.

– Era o que eu suspeitava. Até hoje, nossos caminhos nunca haviam se cruzado.

– Pois agora se cruzam.

– O senhor me insultou!

– Publicamente.

– E vai me dar satisfação desse insulto.

– Imediatamente.

– Não. Quero que tudo seja muito discreto. Há um bosque situado a uns cinco quilômetros de Tampa, o bosque de Skersnaw. Conhece o lugar?

– Conheço.

– Concorda em entrar lá por um dos lados, amanhã de manhã às cinco horas?

– Sim, se às cinco horas o senhor entrar pelo outro.

– E não vai esquecer seu fuzil? – continuou Barbicane.

– Tanto quanto o senhor não vai esquecer o seu.

Após essas palavras friamente pronunciadas, o presidente do Gun Club e o capitão se separaram. Barbicane voltou para casa, mas, em vez de gozar algumas horas de sono, passou a noite estudando os meios de evitar a repercussão do tiro dentro do projétil e resolver esse difícil problema colocado por Michel Ardan na discussão do encontro.

Como um francês resolve questões de honra

Enquanto o presidente e o capitão discutiam os termos do duelo, duelo terrível e selvagem no qual os adversários se tornariam caçadores de homens, Michel Ardan repousava das fadigas do triunfo. Repousar não é, evidentemente, a palavra correta, pois as camas americanas rivalizam em dureza com as mesas de mármore ou granito.

Ardan, portanto, dormia muito mal, virando e revirando entre os pedaços de pano que lhe serviam de lençóis, e sonhava com uma cama mais confortável dentro do projétil, quando um estrondo o arrancou de seu torpor. Golpes estabanados sacudiam a porta. Pareciam vibrados com um instrumento de ferro. Gritos estridentes se misturavam àquela barulheira pouco matinal.

– Abra! – berrava uma voz. – Abra em nome de Deus!

Ardan não tinha nenhuma vontade de atender a uma solicitação tão veemente. Mas ainda assim se levantou e abriu a porta, no momento em que ela ia ceder aos esforços do visitante obstinado. O secretário do Gun Club irrompeu no quarto. Uma bomba não entraria ali com menos cerimônia do que ele.

– Ontem à noite – disparou J.-T. Maston *ex abrupto* –, nosso presidente foi insultado em público durante o encontro. Desafiou seu adversário, que não é outro senão o capitão Nicholl! Vão se bater esta manhã no bosque de Skersnaw! Eu soube de tudo pelo próprio Barbicane. Se ele for morto, daremos adeus aos nossos projetos! É preciso então impedir o duelo, e só um homem no mundo tem influência suficiente sobre Barbicane para detê-lo: esse homem é Michel Ardan!

Enquanto J.-T. Maston falava, Michel Ardan, renunciando a interrompê-lo, meteu-se em sua calça larga, e menos de dois minutos depois os dois amigos se dirigiam a passo acelerado para os subúrbios de Tampa-Town.

Foi durante essa corrida desenfreada que Maston pôs Ardan ao corrente da situação. Revelou-lhe as verdadeiras causas da inimizade de Barbicane e Nicholl, inimizade de longa data, e por que até então, graças a amigos comuns, o presidente e o capitão nunca se haviam encontrado. Acrescentou que se tratava unicamente de uma desavença de placa e projétil, com a cena do encontro servindo apenas de pretexto há longo tempo buscado para Nicholl satisfazer velhos rancores.

Nada mais terrível que esses duelos típicos da América, durante os quais os dois adversários se buscam no meio do mato, se espreitam por entre os troncos e atiram escondidos atrás das moitas como se caçassem animais selvagens. É então que devem invejar as maravilhosas qualidades dos índios das pradarias, sua inteligência rápida, suas artimanhas, sua capacidade de detectar rastos e farejar o inimigo. Um erro, uma hesitação, um passo em falso podem significar a morte. Nesses duelos, os ianques costumam frequentemente usar seus cães e, ao mesmo tempo caçadores e caça, perseguem-se durante horas e horas.

– Que diabo de gente são vocês? – estranhou Michel Ardan depois que seu companheiro lhe descreveu, com bastante entusiasmo, toda essa encenação.

– É o nosso jeito – respondeu J.-T. Maston, modestamente. – Mas apressemo-nos!

Porém, embora disparassem pela pradaria ainda úmida de orvalho, atravessando arrozais, saltando riachos e tomando o caminho mais curto, não conseguiram chegar antes das cinco e meia ao bosque de Skersnaw. Barbicane já devia ter cruzado sua orla havia pelo menos meia hora.

Estava por ali um velho lenhador que rachava lenha, e Maston correu para ele, gritando:

– Viu entrar no bosque um homem armado de fuzil, Barbicane, o presidente... meu melhor amigo?

O digno secretário do Gun Club pensava, ingenuamente, que o mundo inteiro conhecia Barbicane. Mas o velho não deu mostras de tê-lo entendido.

– Um caçador – disse então Ardan.

– Um caçador? Ah, sim – respondeu o velho.

– Há muito tempo?

– Há mais ou menos uma hora.

– Tarde demais! – gemeu Maston.

– E ouviu tiros de fuzil? – perguntou Michel Ardan.

– Não.

– Nem um sequer?

– Nem um sequer. Aquele caçador não deve ter encontrado caça!

– Que vamos fazer? – perguntou Maston.

– Entrar no bosque, com risco de levar um balaço que não é para nós.

– Ah – suspirou Maston num tom inconfundível –, eu preferia dez balas em minha cabeça que uma só na cabeça de Barbicane!

– Então vamos! – urgiu Ardan, pegando a mão de seu companheiro.

Segundos depois, os dois amigos desapareciam na mata espessa, formada por ciprestes gigantes, sicômoros, tulipeiros, oliveiras, carvalhos e magnólias. Essas árvores diversas emaranhavam seus galhos numa teia inextricável, sem permitir que se visse muito longe. Michel Ardan e Maston caminhavam lado a lado, deslizando silenciosamente por entre a erva alta, afastando as trepadeiras vigorosas, interrogando com o olhar as moitas e ramagens perdidas na sombra espessa da folhagem e esperando, a cada passo, ouvir a aterradora detonação dos fuzis. Quanto aos rastos que Barbicane pudesse ter deixado à sua passagem, não conseguiram detectá-los e prosseguiram às cegas por aquelas sendas quase virgens, nas quais um índio reconheceria com facilidade as pegadas de seu adversário.

Após uma hora de buscas inúteis, os dois companheiros pararam. Sua inquietação havia redobrado.

– Acho que acabou – disse Maston, em tom de desânimo. – Um homem como Barbicane não usa de astúcia com seu inimigo, não arma ciladas nem recorre a manobras! É muito franco, muito corajoso. Avançou direto para o perigo, sem dúvida longe demais do lenhador, e o vento impediu que este ouvisse a detonação da arma de fogo.

– Mas nós, nós... – balbuciou Michel Ardan – quando entramos no bosque, teríamos ouvido!

– E se chegamos tarde? – gritou Maston, em desespero.

Michel Ardan não soube o que responder. Retomaram a marcha interrompida. De tempos em tempos, gritavam alto, chamando Barbicane ou Nicholl, mas nenhum dos dois respondia. Bandos alegres de pássaros, despertados pelo barulho, desapareciam entre os ramos, e alguns gamos, enfurecidos, fugiam precipitadamente por entre o mato.

A busca se prolongou ainda por mais uma hora. A maior parte do bosque tinha sido percorrida e nada denunciava a presença dos duelistas. Começavam a duvidar da palavra do lenhador, e Ardan ia desistir daquela exploração inútil quando, de repente, Maston se deteve.

– Silêncio! – disse ele. – Há alguém ali!

– Alguém? – perguntou Michel Ardan.

– Sim, um homem! Parece imóvel. Não empunha seu fuzil. Que estará fazendo?

– Consegue reconhecê-lo? – indagou Michel Ardan, cuja vista fraca lhe servia muito mal em tais circunstâncias.

– Sim, sim! Está se virando...

– E é...

– O capitão Nicholl!

– Nicholl! – gritou Michel Ardan, sentindo um forte aperto no coração.

Nicholl desarmado! Pois então não temia seu adversário?

– Vamos até ele – disse o francês. – E saberemos o que se passa.

Porém, não haviam dado cinquenta passos quando pararam para examinar mais atentamente o capitão. Imaginavam se deparar com um homem sedento de sangue e todo entregue à sua vingança – e, ao vê-lo, ficaram estupefatos.

Uma teia de malhas cerradas se estendia entre dois tulipeiros gigantescos e, no meio dela, uma avezinha presa pelas asas se debatia, lançando gritos lastimosos. O passarinheiro que havia disposto a teia inextricável não era um ser humano, mas uma aranha venenosa, típica da região, grande como um ovo de pomba e provida de patas enormes. O terrível animal, no momento de se precipitar sobre a presa, tivera de fugir e buscar abrigo nos galhos altos do tulipeiro, pois um inimigo temível viera ameaçá-la por seu turno.

Com efeito, o capitão Nicholl, deixando o fuzil por terra e esquecendo os perigos de sua situação, ocupava-se em libertar, o mais delicadamente possível, a vítima apanhada na rede da monstruosa aranha. Quando terminou, soltou a avezinha, que bateu as asas alegremente e desapareceu.

Nicholl, enternecido, observava-a revoando por entre os ramos quando ouviu estas palavras pronunciadas com voz comovida:

– É um homem valente!

Voltou-se. Michel Ardan estava diante dele, repetindo em todas as entonações:

– E um homem bom!

– Michel Ardan! – exclamou o capitão. – Que veio fazer aqui, senhor?

– Apertar-lhe a mão, Nicholl, e impedi-lo de matar Barbicane ou de ser morto por ele.

– Barbicane! – retrucou o capitão. – Procuro-o há duas horas e não o encontro! Onde se escondeu?

– Nicholl – repreendeu Michel Ardan –, isso não é nada bonito! Devemos sempre respeitar nosso adversário. Fique tranquilo, se Barbicane estiver vivo, nós o acharemos e tanto mais facilmente quanto, caso não se ocupe como o senhor de libertar passarinhos capturados, também ele deve andar à sua procura. Mas, quando o acharmos, e é Michel Ardan quem o diz, não haverá mais duelo.

– Entre mim e o presidente Barbicane – respondeu gravemente Nicholl –, a rivalidade é tal que só a morte de um de nós...

– Ora, vamos! – prosseguiu Michel Ardan. – Homens valentes como os senhores podem se detestar, mas também se estimam. Não duelarão.

– Eu duelarei, senhor!

– Não.

– Capitão – interveio J.-T. Maston, emocionado –, sou amigo do presidente, seu *alter ego*, um outro ele. Se quer mesmo matar alguém, atire em mim, será exatamente a mesma coisa.

– Senhor – replicou Nicholl, apertando convulsivamente o fuzil –, essas zombarias...

– O amigo Maston não está zombando – disse Michel Ardan – e compreendo bem sua ideia de morrer pelo homem de quem tanto gosta. Mas nem ele nem Barbicane tombarão sob as balas do capitão Nicholl, pois quero apresentar aos dois rivais uma proposta tão sedutora que não deixarão de aceitá-la.

– E qual é? – perguntou Nicholl, com visível incredulidade.

– Paciência – recomendou Ardan. – Só poderei comunicá-la em presença de Barbicane.

– Pois então vamos atrás dele – disse o capitão.

Os três homens logo se puseram a caminho. O capitão, após desarmar o fuzil, colocou-o ao ombro e caminhou a passo rápido, sem dizer palavra.

Durante meia hora, procuraram em vão. Maston se sentia tomado por um sinistro pressentimento. Observava Nicholl com desconfiança, temendo que, satisfeita a vingança do capitão, o infeliz Barbicane, ferido por uma bala, estivesse sem vida em alguma moita ensanguentada. Michel Ardan parecia pensar o mesmo, e ambos já interrogavam Nicholl com o olhar quando Maston estacou de súbito.

O busto imóvel de um homem encostado ao tronco de uma gigantesca catalpa aparecia a vinte passos de distância, meio oculto pela ramagem.

– É ele! – exclamou Maston.

Barbicane não se mexia. Ardan mirou fixamente os olhos do capitão, que não esboçou nenhum movimento. O francês, adiantando-se, chamou:

– Barbicane! Barbicane!

Nenhuma resposta. Ardan se precipitou para o amigo, mas, no momento em que ia tomá-lo pelo braço, deteve-se com um grito de surpresa.

Barbicane, de lápis na mão, rabiscava fórmulas e figuras geométricas num caderno, enquanto seu fuzil desarmado jazia por terra.

Absorvido nesse trabalho, o cientista, esquecendo ao mesmo tempo o duelo e a vingança, não tinha visto nada, não tinha ouvido nada.

Mas, quando Michel Ardan pousou a mão sobre a sua, voltou-se e olhou-o, espantado.

– Ah! – exclamou enfim. – É você! Aqui! Achei, meu amigo! Achei!

– Achou o quê?

– O meio!

– Que meio?

– O meio de anular o efeito do choque na partida do projétil. Água! A água pura servirá de amortecedor! Ah, Maston, o senhor também!

– Ele também – repetiu Michel Ardan. – E permita-me apresentar-lhe igualmente o digno capitão Nicholl.

– Nicholl! – exclamou Barbicane, pondo-se imediatamente de pé. – Queira me desculpar, capitão... Eu me esqueci... Mas estou pronto...

Michel Ardan interveio para não permitir que os dois inimigos tivessem tempo de se interpelar.

– Por Deus! – disse ele. – Felizmente, homens corajosos assim não se encontraram mais cedo! Agora, estaríamos chorando um ou outro. Mas graças aos céus, que interferiram, já não há nada a temer. Quando se esquece a raiva para mergulhar em problemas de mecânica ou desfazer teias de aranha, é que essa raiva não traz perigo a ninguém.

E Michel Ardan contou ao presidente a história do capitão.

– Pergunto – concluiu ele – se dois homens bondosos como os senhores foram feitos para arrebentar a cabeça de seu adversário a tiros de carabina.

Havia naquela situação, um pouco ridícula, algo de tão inesperado que Barbicane e Nicholl não sabiam muito bem como se portar em face um do outro. Michel Ardan percebeu isso e resolveu promover a reconciliação entre eles.

– Meus bravos amigos – prosseguiu ele, pondo nos lábios seu melhor sorriso –, o que houve foi apenas um mal-entendido. Nada mais. Pois bem, a fim de provar que tudo terminou, e uma vez que são pessoas prontas a arriscar a pele, aceitem de boa vontade a proposta que vou fazer a vocês.

– Fale – disse Nicholl.

– O amigo Barbicane acredita que seu projétil irá direto para a lua.

– Sem dúvida – replicou o presidente.

– E o amigo Nicholl está persuadido de que ele cairá na Terra.

– Tenho certeza – rosnou o capitão.

– Bem! – prosseguiu Michel Ardan. – Longe de mim a pretensão de reconciliá-los, mas faço-lhes um convite: embarquem comigo e vamos ver se concluímos a viagem.

– Hein?! – espantou-se J.-T. Maston.

Os dois rivais, a essa proposta repentina, entreolharam-se. Observavam-se atentamente. Barbicane esperava a resposta do capitão; Nicholl aguardava as palavras do presidente.

– Então, qual a resposta – perguntou Michel com seu tom mais envolvente –, já que não há mais nada a temer?

– Aceito – disse Barbicane.

Mas, por mais rápido que tenha sido ao pronunciar essa palavra, Nicholl não lhe ficou atrás.

– Hurra! Bravo! Viva! Hip, hip, hip! – gritou Michel Ardan, estendendo a mão aos dois adversários. – E agora que o assunto está resolvido, meus amigos, permitam-me tratá-los à francesa. Vamos comer.

O novo cidadão dos Estados Unidos

Nesse dia, a América inteira ficou sabendo ao mesmo tempo do caso do capitão Nicholl e do presidente Barbicane, bem como de seu singular desfecho. O papel desempenhado nesse encontro pelo cavalheiresco europeu, sua proposta inesperada para superar a dificuldade, a concordância simultânea dos dois rivais, a conquista do continente lunar a ser empreendida de comum acordo pela França e pelos Estados Unidos, tudo se juntava para aumentar ainda mais a popularidade de Michel Ardan.

Sabe-se com que frenesi os ianques se apaixonam por um indivíduo. Em um país em que magistrados graves se atrelam à carruagem de uma dançarina e a puxam triunfalmente, julgue-se o amor desencadeado pelo audacioso francês! Se não desatrelaram seus cavalos, é porque sem dúvida ele não os tinha; mas todas as outras mostras de entusiasmo lhe foram prodigalizadas. Nenhum americano deixou de se unir ao francês de mente e coração! *E pluribus unum*, "De vários, um só", reza a divisa dos Estados Unidos.

Depois desse dia, Michel Ardan não teve mais um minuto de sossego. Delegações vindas de todos os cantos da União o atormentavam sem dó nem piedade, e ele tinha de recebê-las quer quisesse, quer não. Quantas mãos apertou! Quantas pessoas precisou tratar com familiaridade! Logo, estava exausto; sua voz, enrouquecida por incontáveis discursos, só escapava de seus lábios em grunhidos ininteligíveis, e ele quase ganhou uma gastrenterite após tantos brindes a todos os condados da União. Esse sucesso teria subido à cabeça de qualquer outro no primeiro dia, mas ele soube resistir, ostentando uma semiembriaguez espiritual e encantadora.

Entre as delegações de todo tipo que o atormentavam, a dos "lunáticos" reconhecia sua dívida para com o futuro conquistador da lua. Um dia, alguns desses pobres-diabos, tão numerosos na América, procuraram-no e pediram para voltar com ele a seu país natal. Uns se diziam mesmo proficientes na língua "selenita" e queriam ensiná-la a Michel Ardan. Este se prestou de bom grado à sua inocente loucura e concordou em levar recados para os amigos deles na lua.

– Estranho delírio! – disse a Barbicane depois de dispensá-los. – É delírio que frequentemente se apossa das grandes inteligências. Um de nossos mais ilustres cientistas, Arago, me disse que muitas pessoas cultas e comedidas em suas concepções se deixam levar a uma incontida exaltação, a incríveis singularidades, todas as vezes que falam da lua. Acredita na influência de nosso satélite sobre as doenças?

– Não muito – respondeu o presidente do Gun Club.

– Eu também não acredito e, no entanto, a história registra fatos no mínimo intrigantes. Por exemplo, em 1693, durante uma epidemia, morreram mais pessoas no dia 21 de janeiro, no momento de um eclipse. O célebre Bacon desmaiava quando havia eclipses da lua e só voltava a si depois que o astro ressurgia inteiramente. O rei Carlos VI mergulhou seis vezes na demência em 1399, por ocasião tanto da lua nova quanto da lua cheia. Alguns médicos incluíram a epilepsia entre as doenças que acompanham as fases lunares. As moléstias nervosas parecem sofrer frequentemente a influência da lua. Mead cita uma criança que tinha convulsões quando a lua entrava em oposição. Gall notou que a exaltação das pessoas fracas aumentava duas vezes por mês, quando da lua nova e da lua cheia. Enfim, mil observações desse tipo sobre as vertigens, as febres malsãs e os sonambulismos tendem a provar que o astro das noites exerce uma misteriosa influência sobre as doenças terrestres.

– Mas como? Por quê? – perguntou Barbicane.

– Por Deus, vou lhe dar a resposta que Arago repetiu dezenove séculos depois de Plutarco: "Porque, sem dúvida, não é verdade".

No auge de seu triunfo, Michel Ardan não conseguiu escapar aos aborrecimentos inerentes à condição de homem famoso. Os empresários de sucesso queriam exibi-lo. Barnum[38] lhe ofereceu um milhão para levá-lo de cidade em cidade, cruzando todo o território dos Estados Unidos, e mostrá-lo como um animal exótico. Michel Ardan chamou-o de cornaca e mandou-o passear.

Mas, se não quis satisfazer assim à curiosidade pública, seus retratos, pelo menos, correram o mundo inteiro e ocuparam o lugar de honra nos álbuns; fizeram-no de todos os tamanhos, desde o natural até as reduções microscópicas dos selos de correio. Cada qual podia possuir seu herói nas poses mais variadas: de cabeça, de busto, de pé, de frente, de perfil, em três quartos, de costas. Imprimiram-se cerca de um milhão e meio de exemplares, e era uma boa hora para comercializar relíquias, mas ele não quis aproveitar a oportunidade. Se vendesse fios de cabelo a um dólar por unidade, faria fortuna!

Essa popularidade, entretanto, não lhe desagradava. Ao contrário. Michel Ardan punha-se à disposição do público e se correspondia com

38 Fundador do que se tornou o mais famoso circo dos Estados Unidos, os Ringling Bros. (N.O.)

o mundo todo. Suas pilhérias eram repetidas, propagadas, principalmente as que não dissera. Mas, como de hábito, lhe eram atribuídas porque ele era fértil nessa arte.

Não fascinava apenas os homens, mas também as mulheres. Quantos "bons casamentos" não teria feito caso lhe ocorresse a fantasia de "acomodar-se"! Sobretudo as senhoras idosas, as que, com mais de quarenta anos, iam mirrando, sonhavam dia e noite diante de suas fotografias.

É certo que acharia companheiras às centenas, mesmo que lhes impusesse a condição de ir com ele para o espaço. As mulheres são corajosas quando não têm medo de tudo. Mas a intenção de Michel não era constituir família no continente lunar, levando para lá uma raça cruzada de franceses e americanos. Portanto, recusou a oferta.

– Ir desempenhar lá em cima o papel de Adão com uma filha de Eva! – dizia. – Não, obrigado. Poderia encontrar serpentes...

Desde que conseguiu, por fim, se furtar às alegrias já maçantes do triunfo, foi com os amigos visitar a Columbiad. Devia-lhe isso. Além do mais, aprendera muito sobre balística no convívio com Barbicane, J.-T. Maston e *tutti quanti*. Seu maior prazer consistia em repetir àqueles bravos artilheiros que eles não passavam de assassinos amáveis e sábios. A esse respeito, suas zombarias não tinham fim. No dia em que visitou a Columbiad, admirou-a muito e desceu até o fundo da alma do gigantesco morteiro, que logo o atiraria em direção ao astro das noites.

– Pelo menos – ponderou ele –, este canhão não fará mal a ninguém, o que é estranho para um canhão. Mas, quanto a seus engenhos que destroem, incendeiam, arrebentam e matam, não me falem deles e, principalmente, não me venham dizer que têm uma "alma", pois não acredito nisso!

Convém agora relatar uma proposta de J.-T. Maston. Quando o secretário do Gun Club ouviu que Barbicane e Nicholl aceitavam a sugestão de Michel Ardan, quis se juntar a eles e formar uma "parceria de quatro". Assim, pediu para fazer também a viagem. Barbicane, desolado por ter de recusar, tentou convencê-lo de que o projétil não comportaria tamanho número de passageiros. J. T.-Maston, desesperado, procurou Michel Ardan, que o aconselhou a se resignar e apresentou argumentos *ad hominem*.

– Não me leve a mal, caro Maston – disse ele. – Mas, cá entre nós, você é demasiado incompleto para se apresentar na lua!

– Incompleto! – bradou o corajoso inválido.

– Sim, meu valente amigo! E se encontrarmos habitantes por lá? Você desejaria lhes dar uma ideia tão triste do que acontece cá embaixo, revelar-lhes o que é a guerra, mostrar-lhes que empregamos o melhor de nosso tempo em devorar, comer, quebrar braços e pernas uns aos outros, e tudo isso num globo que poderia conter cem bilhões de habitantes, mas só abriga um bilhão e duzentos? Ora vamos, digno amigo, eles nos poriam para fora!

– Mas, se chegarem aos pedaços, serão tão incompletos quanto eu!

– Sem dúvida – respondeu Michel Ardan. – Mas nós chegaremos inteiros.

Com efeito, uma experiência preparatória, tentada em 18 de outubro, havia dado os melhores resultados e alimentou as mais legítimas esperanças. Barbicane, para avaliar o efeito do abalo no momento da partida do projétil, mandou vir um canhão de 0,75 centímetro do arsenal de Pensacola. Instalaram-no perto da praia da enseada de Hillisboro, para que a bomba caísse no mar e sua queda fosse amortecida. Tratava-se de calcular o abalo na partida e não o choque na chegada. Para essa experiência, preparou-se com o maior cuidado um projétil oco. Um acolchoado espesso, posto sobre uma série de molas feitas com o melhor aço, duplicava suas paredes internas. Era um autêntico ninho, carinhosamente almofadado.

– Que pena eu não poder entrar aí! – lamentou J.-T. Maston, ciente de que seu corpanzil não lhe permitiria tentar a aventura.

Nessa bomba encantadora, fechada com tampa de rosca, introduziram primeiro um gato gordo e depois um esquilo pertencente ao secretário perpétuo do Gun Club, de quem ele gostava muito. É que precisavam saber como o animalzinho, pouco sujeito à vertigem, suportaria essa viagem experimental.

O canhão foi carregado com setenta quilos de pólvora. Colocou-se a bomba e fez-se o disparo.

O projétil subiu com rapidez, descreveu majestosamente sua parábola, alcançou uma altura de mais ou menos trezentos metros e, numa curva graciosa, foi cair no meio das ondas.

Sem perda de um instante, um barco se aproximou do local da queda; mergulhadores hábeis se atiraram à água e amarraram cordas às aletas da bomba, que foi logo içada para bordo. Nem cinco minutos haviam decorrido entre o momento em que os animais haviam sido colocados no projétil e aquele em que se abriu a tampa de sua prisão.

Ardan, Barbicane, Maston e Nicholl estavam no barco e assistiram à operação com um interesse fácil de entender. Mal a bomba foi aberta, o gato se lançou para fora, um pouco contundido, é verdade, mas cheio de vida e sem aparentar ter chegado de uma expedição aérea.

Mas, quanto ao esquilo... nada. Procuraram-no. Nenhum sinal. Foi preciso então reconhecer: o gato havia comido seu companheiro de viagem.

J.-T. Maston ficou muito triste com a perda de seu pobre esquilo e propôs inscrevê-lo no martirológio da ciência.

Seja como for, após essa experiência, medos e hesitações desapareceram; de resto, os planos de Barbicane deveriam ainda aperfeiçoar o projétil e anular quase por completo os efeitos do abalo. Só restaria então partir.

Dois dias depois, Michel Ardan recebeu uma mensagem do presidente da União, honra a que se mostrou particularmente sensível.

Como fizera a seu cavalheiresco compatriota, o marquês de La Fayette, o governo lhe concedeu o título de cidadão dos Estados Unidos da América.

O vagão-projétil

Pronta a célebre Columbiad, o interesse público se voltou imediatamente para o projétil, esse novo veículo destinado a transportar pelo espaço os três ousados aventureiros. Ninguém se esquecera de que, conforme seu telegrama de 30 de setembro, Michel Ardan havia pedido alterações no projeto elaborado pelos membros do comitê.

O presidente Barbicane pensava então, e estava certo, que a forma do projétil importava pouco, pois, uma vez atravessada a atmosfera em alguns segundos, seu percurso se realizaria no vácuo absoluto. Por isso, o comitê adotara a forma redonda para que a bala girasse sobre si mesma e se comportasse de acordo com sua fantasia. Entretanto, como agora se transformaria em veículo, a história era outra. Michel Ardan não queria viajar à maneira dos esquilos, mas de cabeça para cima, pés para baixo, cheio de dignidade como se estivesse na barquinha de um balão, sem dúvida mais depressa, mas sem se submeter a uma sequência de cabriolas pouco respeitáveis.

Novos projetos foram então enviados à empresa Breadwill & Co., de Albany, com a recomendação de executá-los sem demora. O projétil, assim modificado, foi fundido em 2 de novembro e despachado imediatamente para a Colina das Pedras pela ferrovia do Leste. No dia 10, chegou sem acidentes a seu destino. Michel Ardan, Barbicane e Nicholl aguardavam com a mais viva impaciência aquele "vagão-projétil" no qual embarcariam para descobrir um mundo novo.

Convenhamos: era uma magnífica peça de metal, um produto metalúrgico que fazia a mais alta honra ao gênio industrial dos americanos. Obtivera-se pela primeira vez alumínio em quantidade tão considerável, o que podia ser visto, justificadamente, como um resultado prodigioso. O precioso engenho cintilava aos raios do sol. Quem o visse com suas formas imponentes, coberto por seu chapéu cônico, sem dúvida o tomaria por uma daquelas robustas torres em forma de pimenteiro que os arquitetos da Idade Média erguiam nos cantos das fortalezas. Só lhe faltavam as seteiras e o cata-vento.

– Parece até – brincou Michel Ardan – que vai sair dali um guerreiro de arcabuz e couraça. Estaremos lá dentro como senhores feudais, e, se dispuséssemos de um pouco de artilharia, poderíamos enfrentar todos os exércitos selenitas, se é que existem!

– Então o veículo lhe agrada? – perguntou Barbicane ao amigo.

– Sim, sem dúvida! – respondeu Michel Ardan, que o examinava com olhos de artista. – Só lamento que suas formas não sejam um pouco mais afiladas, seu cone mais gracioso... Deveria ser encimado por um enfeite de metal trabalhado, representando, por exemplo, uma quimera, uma gárgula ou uma salamandra saindo do fogo com as asas distendidas e a goela escancarada...

– Para quê? – estranhou Barbicane, cujo espírito positivo era pouco sensível às belezas da arte.

– Ora, amigo Barbicane! Mas, ai de mim, se pergunta, receio que não vá compreender!

– Diga mesmo assim, meu bravo companheiro.

– Pois bem. A meu ver, é preciso sempre pôr um pouco de arte nas coisas que fazemos, para valorizá-las. Conhece uma comédia indiana intitulada *O Carro da Criança*?

– Nem de nome – confessou Barbicane.

– Isso não me espanta – continuou Michel Ardan. – Pois saiba que, nessa comédia, um ladrão, no momento de furar a parede de uma casa, pergunta a si mesmo se dará ao buraco a forma de uma lira, de uma flor, de um pássaro ou de uma ânfora. Então me diga, amigo Barbicane: se nessa época fosse membro do júri, condenaria o ladrão?

– Sem hesitar – respondeu o presidente do Gun Club. – E levando em conta a circunstância agravante do arrombamento.

– Mas eu o absolveria, amigo Barbicane! Eis por que jamais poderá me entender!

– Nem sequer tentarei isso, meu valente artista.

– Mas pelo menos – prosseguiu Michel Ardan –, uma vez que o exterior de nosso vagão-projétil deixa a desejar, permita-me mobiliá-lo a meu modo, com todo o luxo que convém a embaixadores da Terra!

– Sob esse aspecto, meu bravo Michel, o senhor fará tudo a seu gosto e nós não poremos obstáculo!

Mas, antes de passar ao agradável, o presidente do Gun Club havia pensado no útil, e os meios que inventou para suavizar os efeitos do abalo foram aplicados com uma inteligência perfeita.

Barbicane concluíra, não sem razão, que nenhuma mola seria suficientemente forte para amortecer o choque e, durante seu famoso passeio pelo bosque de Skersnaw, havia conseguido resolver o difícil problema de uma maneira engenhosa. A água é que lhe prestaria esse notável serviço. Eis como.

O projétil deveria ter até a altura de um metro uma camada de água destinada a suportar um disco de madeira totalmente impermeável que escorregaria, com fricção, pelas paredes internas. Sobre essa autêntica jangada é que os viajantes se postariam. Quanto à massa líquida, seria dividida por tabiques horizontais, que o abalo, na partida, romperia um por um. Então, cada porção de água, da mais baixa à mais alta, escaparia por tubos até a parte superior do projétil, funcionando como uma mola, e o disco, provido de tampões extremamente rígidos, só poderia se chocar com o fundo após o esmagamento sucessivo dos diversos tabiques. Sem dúvida, os viajantes sentiriam ainda um abalo violento após o escape total da massa líquida, mas o primeiro choque seria quase inteiramente amortecido por essa "mola" poderosa.

É verdade que um metro de água sobre uma superfície de cinco metros quadrados deveria pesar perto de cinco mil quilos; mas a força elástica dos gases acumulados dentro da Columbiad bastaria, segundo Barbicane, para compensar esse aumento de peso; de resto, o choque expeliria toda a água em menos de um segundo e o projétil voltaria imediatamente ao peso normal.

Eis o que havia imaginado o presidente do Gun Club para resolver o grave problema do abalo. Essa tarefa, inteligentemente compreendida pelos engenheiros da firma Breadwill, foi executada com perfeição. Passado o efeito e expelida a água, os viajantes poderiam se desembaraçar facilmente dos tabiques despedaçados e desmontar o disco móvel sobre os quais ficariam no momento da partida.

Quanto às paredes superiores do projétil, estavam revestidas de uma espessa proteção de couro, aplicado sobre espirais do melhor aço, dotadas da flexibilidade de molas de relógio. Os tubos de escapamento, ocultos sob essa proteção, nem sequer deixavam entrever sua existência.

Assim, todas as precauções imagináveis para amortecer o primeiro choque tinham sido tomadas e, se alguém se deixasse esmagar, seria "de péssima constituição", nas palavras de Michel Ardan.

Por fora, o projétil media 2,7 metros de largura por 3,6 de altura. A fim de não ultrapassar o peso calculado, diminuiu-se um pouco a espessura das paredes e reforçou-se sua parte inferior, que deveria suportar toda a violência dos gases emitidos pela deflagração do piróxilo. Aliás, é assim que se faz com as bombas e os obuses cilíndrico-cônicos, cuja base é sempre mais espessa.

Entrava-se nessa torre metálica por uma estreita abertura praticada nas paredes do cone e parecida com as das caldeiras a vapor, chamadas de "buracos de homem". Era hermeticamente fechada por uma placa de alumínio, retida no interior por fortes parafusos a pressão. Os viajantes poderiam, portanto, sair sem dificuldade de sua prisão móvel quando chegassem ao astro das noites.

Mas não bastava ir, era preciso também ver durante o trajeto. Nada mais fácil. Sob o acolchoado, havia quatro escotilhas de vidro lenticular bem grosso, duas na parede circular do projétil, uma na parte inferior e a quarta no chapéu cônico. Os viajantes poderiam então observar, ao longo do percurso, a Terra que deixavam, a lua da qual se aproximavam e os espaços constelados do céu. Essas escotilhas estavam protegidas contra os choques da partida por placas solidamente presas por fora e que poderiam ser soltas com facilidade, bastando desatarraxar porcas instaladas do lado de dentro. Assim, o ar contido no interior não escaparia e as observações seriam possíveis.

Todos esses mecanismos, admiravelmente concebidos, funcionavam sem problemas. E os engenheiros não haviam se mostrado menos hábeis no arranjo do vagão-projétil.

Recipientes bem presos eram destinados à água e aos víveres necessários aos três passageiros, que poderiam até ter fogo e luz graças ao gás armazenado em uma caixa especial, sob pressão de várias atmosferas. Girando-se uma torneira, durante seis dias esse gás iluminaria e aqueceria o confortável veículo. Como se vê, não faltava o essencial à vida e mesmo ao bem-estar. Além disso, graças aos instintos de Michel Ardan, o agradável se juntou ao útil sob a forma de objetos de arte – e ele teria feito do projétil um verdadeiro ateliê de artista se não lhe faltasse espaço. Mas seria engano supor que três pessoas ficariam espremidas naquela torre de metal. Ela tinha aproximadamente cinco metros quadrados por três metros de altura, o que permitia aos viajantes certa liberdade de movimentos. Não ficariam tão à vontade no mais confortável vagão de trem dos Estados Unidos.

Resolvida a questão dos víveres e da iluminação, restava a do ar. Era evidente que o ar encerrado no projétil não seria suficiente, durante quatro dias, para a respiração dos três homens. Cada pessoa, com efeito, consome em uma hora quase todo o oxigênio contido em cem litros de ar. Barbicane, seus dois companheiros e dois cães que ele planejava levar, deviam consumir, em 24 horas, 2.400 litros de oxigênio (ou, em peso, perto de três quilos). Seria necessário, pois, renovar o ar do projétil. Mas como? Graças a um processo muito simples, o de Reiset e Regnault, explicado por Michel Ardan durante a discussão do encontro.

Sabe-se que o ar é composto principalmente de vinte e uma partes de oxigênio e setenta e nove de hidrogênio. Ora, o que acontece no ato da respiração? Um fenômeno nada complicado. O homem absorve o oxigênio do ar, eminentemente adequado à vida, e expele o hidrogênio intato. O ar expirado perde cinco por cento de seu oxigênio e passa a conter então um volume mais ou menos igual de ácido carbônico, produto definitivo da combustão dos elementos do sangue realizada pelo oxigênio inspirado. Sucede que, num meio fechado e depois de certo tempo, todo o oxigênio do ar é substituído pelo ácido carbônico, gás extremamente deletério.

Portanto, a questão se reduzia ao seguinte: com o hidrogênio conservado intato, 1.º refazer o oxigênio absorvido; 2.º destruir o ácido carbônico expirado. Nada mais fácil por meio do clorato de potássio e da potassa cáustica.

O clorato de potássio é um sal que se apresenta sob a forma de pequeninas lâminas brancas; levado a uma temperatura superior a quatrocentos graus, transforma-se em cloreto de potássio, perdendo todo o oxigênio que continha. Ora, oito quilos de clorato de potássio rendem três quilos de oxigênio, ou seja, a quantidade necessária aos viajantes durante 24 horas. Assim se fabricaria o oxigênio.

Quanto à potassa cáustica, é uma substância ávida pelo ácido carbônico misturado ao ar: basta agitá-la para que se apodere dele e forme o bicarbonato de potássio. Assim se faz a absorção do ácido carbônico.

Combinando-se esses dois meios, os viajantes tinham certeza de que poderiam devolver ao ar viciado todas as suas qualidades vivificantes.

Os dois químicos, Reiset e Regnault, haviam de fato feito essa experiência com sucesso – mas, é preciso dizer, apenas *in anima vili*, com animais. Qualquer que houvesse sido sua precisão científica, ignorava-se completamente como os homens a suportariam.

Tal foi a observação feita no encontro em que se tratou desse grave problema. Michel Ardan não queria pôr em dúvida a possibilidade de sobreviver graças a um ar por assim dizer artificial e ofereceu-se para testá-lo antes da partida. Mas a honra do teste foi energicamente reclamada por J.-T. Maston.

– Já que não viajarei – disse o bravo artilheiro –, devo pelo menos habitar o projétil por uns oito dias.

Não seria delicado recusar-lhe esse favor. Os outros aceitaram seu pedido. Uma quantidade suficiente de clorato de potássio e de potassa cáustica foi colocada à sua disposição, juntamente com víveres para oito dias; em seguida, apertando a mão dos amigos, no dia 12 de novembro, às seis horas da manhã, recomendou expressamente que não abrissem sua prisão antes do dia 20, às seis horas da tarde. Entrou então no projétil e a placa foi hermeticamente fechada.

Que se passou durante esses oito dias? Impossível saber. A espessura das paredes do projétil impedia que qualquer ruído interno chegasse ao exterior.

Em 20 de novembro, exatamente às seis horas, a placa foi retirada. Os amigos de J.-T. Maston estavam um pouco inquietos. Mas logo se tranquilizaram ao ouvir uma voz jovial proferindo um hurra que os impressionou.

Logo o secretário do Gun Club apareceu no alto do cone, em atitude triunfante. Tinha engordado!

O telescópio das Montanhas Rochosas

No dia 20 de outubro do ano anterior, uma vez encerrada a subscrição, o presidente do Gun Club havia entregado ao Observatório de Cambridge as somas necessárias à construção de um enorme instrumento óptico. Esse aparelho, luneta ou telescópio, devia ser possante o suficiente para tornar visível, na superfície da lua, qualquer objeto com mais de 2,7 metros de largura.

Há, entre a luneta e o telescópio, uma importante diferença que convém mencionar. A luneta se compõe de um tubo que traz na extremidade superior uma lente convexa chamada objetiva, e, na inferior, uma segunda lente chamada ocular, à qual se encosta o olho do observador. Os raios que emanam do objeto luminoso atravessam a primeira lente e vão, por refração, formar uma imagem invertida em seu foco[39]. Essa imagem é vista com a ocular, que a aumenta exatamente como o

39 É o ponto onde os raios luminosos se juntam depois de ter sido refratados. (N.O.)

faria uma lupa. O tubo da luneta é, portanto, fechado em cada extremidade pela objetiva e pela ocular.

O tubo do telescópio, ao contrário, é aberto na extremidade superior. Os raios partidos do objeto penetram aí livremente e vão incidir sobre um espelho metálico côncavo, isto é, convergente. Dali, os raios refletidos se dirigem para um espelho menor que os envia à ocular, disposta de modo a aumentar a imagem produzida.

Assim, na luneta, a refração desempenha o papel principal; no telescópio, isso é feito pela reflexão. Daí o nome de instrumento refrator dado à primeira e de instrumento refletor dado ao segundo. Toda a dificuldade de execução desses aparelhos de óptica reside na confecção das objetivas, quer sejam feitas de lentes ou de espelhos metálicos.

Ora, na época em que o Gun Club tentou sua grande experiência, esses instrumentos já estavam bastante aperfeiçoados e davam resultados magníficos. Ia longe o tempo em que Galileu observava os astros com sua modesta luneta que só amplificava sete vezes, se tanto. Depois do século XVI, os aparelhos de óptica aumentaram de tamanho e se alongaram até alcançar proporções consideráveis, permitindo mergulhar nos espaços estelares a uma profundidade desconhecida até então. Entre os instrumentos refratores que operavam nessa época, citamos a luneta do Observatório de Pulkowa, na Rússia, com uma objetiva de 38 centímetros de largura e custo de oitenta mil rublos; a luneta do óptico francês Lerebours, provida de uma objetiva igual à precedente; e, enfim, a luneta do Observatório de Cambridge, munida de uma objetiva de 48 centímetros.

Entre os telescópios, conheciam-se dois de uma potência notável e de dimensão gigantesca. O primeiro, construído por Herschell, tinha onze metros de comprimento, com um espelho de 1,5 metro de diâmetro, e permitia um aumento de seis mil vezes. O segundo estava na Irlanda, em Birrcastle, no parque de Parsonstown, e pertencia a lorde Rosse. Com quinze metros de comprimento e um espelho de

1,93 metro[40], aumentava 6.400 vezes e exigiu uma imensa construção de alvenaria para a disposição dos aparelhos necessários à manobra do instrumento, que pesava catorze toneladas.

Entretanto, como se vê, apesar dessas disposições colossais os aumentos obtidos não ultrapassavam seis mil vezes, em números redondos; ora, um aumento desses só traz a lua para uma distância de 65 quilômetros e só deixa ver objetos com dezoito metros de diâmetro, a menos que eles sejam muito compridos.

Mas agora se tratava de um projétil de 2,7 metros de largura por 3,6 de comprimento; seria necessário, pois, trazer a lua a oito quilômetros de distância, pelo menos, o que significava um aumento de 48 mil vezes.

Tal o problema apresentado ao Observatório de Cambridge, que não precisava se preocupar com dificuldades financeiras. Restavam, pois, apenas dificuldades materiais.

De início, era preciso escolher entre os telescópios e as lunetas. Estas tinham certas vantagens sobre aqueles. Sendo iguais às objetivas, elas permitiam obter aumentos maiores, pois os raios luminosos que atravessam as lentes perdem menos nitidez pela absorção que pela reflexão no espelho metálico dos telescópios. Mas a espessura que se pode dar a uma lente é limitada, já que, se ela for muito grossa, não deixa passar os raios luminosos. Além disso, a construção dessas lentes enormes é muitíssimo difícil e exige um tempo considerável – anos, até.

Desse modo, se bem que as imagens fossem mais claras nas lunetas (vantagem inapreciável quando se trata de observar a lua, cuja luz é simplesmente refletida), decidiu-se pelo telescópio, de execução mais rápida e que permite obter aumentos maiores. Todavia, como os

---

40 Ouve-se falar de lunetas ainda mais compridas. Uma delas, com noventa metros de foco, foi fabricada aos cuidados de Dominique Cassini, no Observatório de Paris. Mas é preciso levar em conta que essas lunetas não tinham tubo. A objetiva ficava suspensa no ar por meio de mastros, e o observador, de ocular na mão, postava-se no foco da objetiva da maneira mais precisa possível. Portanto, esses instrumentos eram de manejo difícil, não sendo nada fácil centralizar duas lentes dispostas nessas condições. (N.O.)

raios luminosos perdem grande parte de sua intensidade ao atravessar a atmosfera, o Gun Club resolveu instalar o instrumento em uma das montanhas mais altas da União, o que diminuiria a espessura das camadas aéreas.

Nos telescópios, como vimos, a ocular, isto é, a lupa onde o observador coloca o olho, produz o aumento, enquanto a objetiva, que suporta os maiores aumentos, tem maior diâmetro e maior distância focal. Para aumentar 48 mil vezes, seria necessário ultrapassar muito, em tamanho, as objetivas de Herschell e de lorde Rosse. Nisso consistia a dificuldade, pois a fundição desses espelhos é uma operação das mais delicadas.

Felizmente, alguns anos antes, um cientista do Instituto da França, Léon Foucault, tinha inventado um processo que tornava bem fácil e rápido o polimento das objetivas, substituindo os espelhos metálicos por espelhos prateados. Bastava fundir um pedaço de vidro do tamanho desejado e em seguida metalizá-lo com um sal de prata. Esse processo, de resultados excelentes, foi o adotado para a fabricação da objetiva.

Além disso, sua disposição obedeceu ao método imaginado por Herschell para seus telescópios. No grande aparelho do astrônomo de Slough, a imagem dos objetos, refletida pelo espelho inclinado no fundo do tubo, formava-se na outra extremidade, onde se situava a ocular. Assim, o observador não se postava na parte inferior do tubo, mas subia para a parte superior e ali, munido de sua lupa, mergulhava a vista no enorme cilindro. Essa combinação tinha a vantagem de suprimir o pequeno espelho destinado a redirecionar a imagem para a ocular, que então sofria apenas uma reflexão, em vez de duas. Assim, perdiam-se menos raios luminosos, a imagem aparecia mais nítida e obtinha-se mais claridade, vantagem preciosa na observação a ser feita[41].

Tomadas essas resoluções, iniciaram-se os trabalhos. Segundo os cálculos da equipe do Observatório de Cambridge, o tubo do novo

41 Esses refletores são chamados em inglês de "*front view telescopes*", telescópios de visão frontal. (N.O.)

refletor devia ter 85 metros de comprimento, e seu espelho, cinco metros de diâmetro. Por colossal que fosse, o aparelho não se compararia ao telescópio de 3,5 quilômetros que o astrônomo Hooke queria construir há alguns anos. Contudo, a instalação de um equipamento de tamanhas proporções apresentava grandes dificuldades.

Quanto ao problema da localização, foi prontamente resolvido. Limitava-se a escolher uma montanha alta, embora montanhas altas não sejam numerosas nos Estados Unidos.

Com efeito, o sistema orográfico desse grande país se reduz a duas cadeias de altitude média, entre as quais corre o magnífico Mississípi, que os americanos chamariam de "Rei dos Rios" caso admitissem alguma realeza.

A Leste, erguem-se os Apalaches, cujo pico mais alto, em New Hampshire, não ultrapassa os 1.700 metros, o que é bem modesto.

A Oeste, encontramos as Montanhas Rochosas, imensa cadeia que começa no Estreito de Magalhães, na costa ocidental da América do Sul, com o nome de Andes ou Cordilheiras, passa o istmo do Panamá e percorre a América do Norte até as praias do Oceano Polar.

Essas montanhas não são pujantes. Os Alpes e o Himalaia as olhariam com supremo desdém do alto de sua grandeza. Com efeito, seu pico mais elevado tem apenas 3.200 metros, enquanto o Monte Branco mede 4.800 e o Kintschindjinga, o mais alto do Himalaia, chega a oito mil acima do nível do mar.

Mas, como o Gun Club insistisse em que o telescópio, tanto quanto a Columbiad, fosse instalado no território dos Estados Unidos, ele teve de contentar-se com as Montanhas Rochosas e todo o material necessário foi levado para o cume do Long's-Peak, no Missouri.

Nem a pena nem a palavra poderiam descrever as dificuldades de todos os tipos que os engenheiros americanos tiveram de vencer ou os prodígios de audácia e de habilidade que realizaram. Foi uma verdadeira façanha. Precisaram levar pedras enormes, peças forjadas extremamente pesadas, vigas gigantescas, grandes partes separadas do cilindro e a objetiva que pesava, sozinha, perto de quinze mil quilos acima das neves eternas, a mais de três mil metros de altitude. E isso após atravessar pradarias desertas, florestas impenetráveis, corredeiras assustadoras, longe dos centros habitados, no meio de regiões selvagens nas quais cada detalhe da existência se tornava um problema quase insolúvel. No entanto, o gênio dos americanos triunfou desses mil obstáculos. Menos de um ano após o começo dos trabalhos, nos últimos dias do mês de setembro, o gigantesco refletor ostentava nos ares seu tubo de 85 metros, suspenso em uma enorme corrente de ferro. Esse mecanismo engenhoso permitia girá-lo facilmente para todos os pontos do céu e seguir os astros de um horizonte a outro durante sua marcha pelo espaço.

Havia custado mais de quatrocentos mil dólares. A primeira vez que foi assestado para a lua, os observadores experimentaram um misto de curiosidade e inquietude. Que iriam descobrir no campo de um telescópio que aumentava 48 mil vezes os objetos observados? Manadas de animais lunares, cidades, lagos, oceanos? Não, nada que a ciência já não conhecesse: em todos os quadrantes de seu disco, a natureza vulcânica da lua pôde ser determinada com precisão absoluta.

Mas o telescópio das Montanhas Rochosas, antes de servir ao GunClub, prestou imensos serviços à astronomia. Graças a seu poder de penetração, as profundezas do céu foram sondadas até os derradeiros limites, o diâmetro aparente de um bom número de estrelas foi rigorosamente medido e o senhor Clarke, da equipe de Cambridge, decompôs a *crab nebula*[42] da constelação do Touro, que o refletor de lorde Rosse não conseguira jamais reduzir.

42 Nebulosa que tem a forma de um caranguejo. (N.O.)

Últimos detalhes

Era 22 de novembro. A grande partida devia ocorrer dali a dez dias. Uma única operação precisava ainda ser levada a bom termo, operação delicada, perigosa, que exigia precauções infinitas e contra o sucesso da qual o capitão Nicholl havia proposto seu terceiro desafio. Tratava-se, com efeito, de carregar a Columbiad com os 180 mil quilos de algodão-pólvora. Nicholl havia pensado, talvez acertadamente, que a manipulação de uma quantidade tão grande de pólvora provocaria graves catástrofes e que, fosse como fosse, essa massa eminentemente explosiva se inflamaria por si mesma sob a pressão do projétil.

Acrescentem-se a isso o descuido e a leviandade dos americanos, que com a maior despreocupação, durante a guerra federal, carregavam suas bombas com o charuto na boca. Mas Barbicane queria por força obter sucesso e não morrer na praia; escolheu então seus melhores operários, supervisionou-os de perto, não tirou os olhos deles um momento sequer e, à força de prudência e cuidado, soube propiciar todas as chances de êxito.

Por exemplo, não depositou toda a carga no recinto da Colina das Pedras, mas fez com que viesse aos poucos, em caixas hermeticamente fechadas. Os 180 mil quilos de algodão-pólvora foram divididos em pacotes de 225 quilos, o que perfazia oitocentos grossos cartuchos confeccionados meticulosamente pelos melhores artífices de Pensacola. Cada caixa continha dez e chegava em lotes pela ferrovia de Tampa-Town, de modo que não havia nunca, no recinto, mais de 2.250 quilos de explosivo ao mesmo tempo. Mal chegava, cada caixa era descarregada por operários descalços, e cada cartucho era levado até a abertura da Columbiad, na qual descia por meio de guindastes manobrados a pulso. Toda máquina a vapor fora posta de lado, e os menores fogos extintos num raio de três quilômetros. Já era muito ter de preservar essas massas de algodão-pólvora contra os ardores do sol, mesmo em novembro. Assim, trabalhou-se de preferência à noite, sob uma luz produzida no vazio e que, por meio dos aparelhos de Ruhmkorff, gerava um dia artificial até o fundo da Columbiad. Lá, os cartuchos foram dispostos com perfeita regularidade e ligados entre si por um fio metálico destinado a levar simultaneamente a faísca elétrica ao centro de cada um.

Com efeito, era por intermédio da pilha que o fogo deveria ser comunicado à massa de algodão-pólvora. Todos esses fios, recobertos de material isolante, se juntavam num orifício estreito praticado na altura onde seria mantido o projétil, atravessavam a espessa parede de metal fundido e subiam até o solo por um respiradouro do revestimento de pedra conservado para esse fim. Uma vez chegado ao pico da Colina das Pedras, o fio corria sobre postes por cerca de três quilômetros e alcançava uma potente pilha de Bunsen, passando por um aparelho interruptor. Bastava, pois, comprimir com o dedo o botão do aparelho para que a corrente fosse instantaneamente restabelecida e ateasse fogo aos 180 quilos de algodão-pólvora. Nem é preciso dizer que a pilha só entraria em ação no último momento.

Em 28 de novembro, os oitocentos cartuchos estavam acomodados no fundo da Columbiad. Essa parte da operação fora bem-sucedida.

Mas quanto trabalho, quanta inquietude, quanta luta o presidente Barbicane havia enfrentado! Em vão, proibira a entrada de curiosos na Colina das Pedras; diariamente, eles escalavam as paliçadas e alguns, levando a imprudência às raias da loucura, fumavam no meio dos fardos de algodão-pólvora. A raiva de Barbicane era contínua. J.-T. Maston secundava-o tanto quanto podia, expulsando violentamente os intrusos e pisoteando os tocos de charutos ainda acesos que os ianques jogavam aqui e ali. Tarefa cansativa, pois mais de trezentas mil pessoas se acotovelavam em volta das paliçadas. Michel Ardan tinha se oferecido para escoltar as caixas até a abertura da Columbiad; mas, surpreendendo-o, a ele próprio, com um enorme charuto na boca enquanto escorraçava os imprudentes aos quais dava esse funesto exemplo, o presidente do Gun Club concluiu que não podia contar com esse intrépido fumante e mandou que ele fosse vigiado de perto.

Porém, como existe um Deus para os artilheiros, não houve explosões e nada aconteceu ao carregamento. O terceiro desafio do capitão Nicholl tinha sido, portanto, muito arriscado. Restava introduzir o projétil na Columbiad e depositá-lo sobre a espessa camada de algodão-pólvora.

Antes de se proceder a essa operação, os objetos necessários à viagem foram instalados em boa ordem dentro do vagão-projétil. Eram em grande número e, caso se houvesse concedido liberdade a Michel Ardan, ocupariam todo o espaço reservado aos viajantes. Nem se imagina o que esse amável francês desejava levar para a lua: um monte de inutilidades. Mas Barbicane interveio e os objetos ficaram reduzidos ao estritamente necessário.

Vários termômetros, barômetros e lunetas foram guardados na caixa de instrumentos.

Os viajantes estavam ávidos por examinar a lua durante o trajeto e, a fim de facilitar o reconhecimento desse mundo novo, muniram-se de um excelente mapa de Beer e Moedler, o *Mappa Selenographica*, publicado em quatro pranchas, que passa com justiça por uma verdadeira obra-prima de observação e paciência. Reproduzia com escrupulosa minúcia os mais simples detalhes da face do astro voltada para a Terra; montanhas, vales, depressões, crateras, picos e sulcos aí se viam em suas dimensões exatas, orientação fiel e nomenclatura, desde os montes Doerfel e Leibnitz, que se erguem na parte oriental do disco, até o *Mare Frigoris*, que se estende pelas regiões circumpolares do Norte.

Era, pois, um precioso documento para os viajantes, pois podiam estudar o país antes de nele pôr os pés.

Levavam também três fuzis e três carabinas de caça de repetição e balas explosivas, além de pólvora e chumbo em grande quantidade.

– Não sabemos o que vamos enfrentar – advertiu Michel Ardan. – Homens ou animais podem não apreciar nossa visita! Portanto, é bom tomarmos as devidas precauções.

Não bastasse isso, acrescentaram-se aos instrumentos de defesa pessoal picaretas, enxadas, serras manuais e outros utensílios indispensáveis, sem falar das roupas próprias para todas as temperaturas, desde o frio das regiões polares até os calores da zona tórrida.

Michel Ardan gostaria de levar em sua expedição alguns animais, mas não um casal de todas as espécies, pois não via necessidade de aclimatar na lua serpentes, tigres, crocodilos e outras bestas-feras.

– Não – disse a Barbicane. – Contudo, alguns animais de carga, bois ou vacas, burros ou cavalos ficariam bem na paisagem e nos seriam de grande utilidade.

– Concordo, meu caro Ardan – respondeu o presidente do Gun Club. – Mas nosso vagão-projétil não é a arca de Noé. Não tem nem sua capacidade nem seu objetivo.

– Fiquemos então nos limites do possível.

Enfim, após longas discussões, combinou-se que os viajantes se contentariam com um excelente cão de caça pertencente a Nicholl e um vigoroso terra-nova de força prodigiosa. Vários sacos dos cereais mais úteis foram postos no número dos objetos indispensáveis. Se pudesse,

Michel Ardan levaria também alguns sacos de terra para semeá-los. Em todo caso, reuniu uma dezena de arbustos, que foram cuidadosamente envoltos em palha e guardados num canto do projétil.

Restava agora a importante questão dos víveres, pois era necessário prever o caso em que descessem em uma parte da lua absolutamente estéril. Barbicane fez de modo a tê-los por um ano. Todavia, cabe acrescentar para que ninguém se admire, que esses víveres consistiam em conservas de carnes e legumes reduzidos ao menor volume em prensa hidráulica, sem que com isso perdessem seus nutrientes. Não eram variados, mas não se podia ser muito exigente numa expedição daquele tipo. Havia também uma reserva de duzentos litros de aguardente, além de água para apenas dois meses. Com efeito, após as últimas observações dos astrônomos, ninguém punha em dúvida a existência de uma certa quantidade de água na superfície da lua. Quanto aos víveres, era insensato supor que habitantes da Terra não encontrassem de que se nutrir lá em cima. Michel Ardan não tinha nenhuma dúvida a esse respeito – se tivesse, não partiria.

– Além disso – disse ele um dia a seus amigos –, não ficaremos totalmente abandonados por nossos camaradas da Terra e eles tomarão o cuidado de não nos esquecer.

– É claro – concordou J.-T. Maston.

– Como assim? – quis saber Nicholl.

– Nada mais simples – respondeu Ardan. – A Columbiad não estará sempre a postos? Todas as vezes que a lua se apresentar em condições favoráveis no zênite, se não no perigeu, isto é, uma vez por ano mais ou menos, eles não poderão nos enviar um obus carregado de víveres, que esperaremos em dia marcado?

– Hurra! Hurra! – gritou J.-T. Maston, encantado com a ideia. – Certamente, meus bravos amigos, nós não os esqueceremos!

– Conto com isso! Assim, como veem, teremos regularmente notícias da Terra e, de nossa parte, seríamos muito medíocres se não encontrássemos meios de nos comunicar com nossos bons amigos daqui!

Essas palavras inspiraram tal confiança que Michel Ardan, com seu ar determinado e seu porte soberbo, teria convencido todo o Gun Club a ir com ele. O que afirmava parecia simples, elementar, fácil, de sucesso garantido, e alguém precisaria ser realmente mesquinho para se agarrar a este miserável globo terrestre e não seguir os três viajantes em sua expedição lunar.

Depois de colocados os diversos objetos no projétil, a água que devia funcionar como mola foi introduzida entre os tabiques e o gás de iluminação acondicionado em seu recipiente. Quanto ao clorato de potássio e à potassa cáustica, Barbicane, temendo atrasos imprevistos na viagem, providenciou uma quantidade suficiente para renovar o oxigênio e absorver o ácido carbônico durante dois meses. Um aparelho extremamente engenhoso e de funcionamento automático iria devolver ao ar suas qualidades vivificantes e purificá-lo completamente. O projétil estava, pois, pronto, só restando descê-lo dentro da Columbiad. Operação, no entanto, cheia de dificuldades e perigos.

O enorme obus foi levado para o alto da Colina das Pedras. Ali, guindastes de grande potência o seguraram e suspenderam acima da abertura de metal.

Momento palpitante. Se as correntes se rompessem sob aquele peso formidável, a queda da enorme massa provocaria sem dúvida a explosão do algodão-pólvora.

Felizmente, nada disso aconteceu e, horas depois, o vagão-projétil, descido suavemente pela alma do canhão, repousava sobre a camada de piróxilo, esse verdadeiro cobertor fulminante. Sua pressão só teve por efeito comprimir ainda mais a carga da Columbiad.

– Perdi – disse o capitão, entregando ao presidente Barbicane a quantia de três mil dólares.

Barbicane não queria receber esse dinheiro de um companheiro de viagem, mas precisou ceder diante da obstinação de Nicholl, que teimava em cumprir todos os seus compromissos antes de deixar a Terra.

– Nesse caso – disse Michel Ardan –, só tenho uma coisa a lhe desejar, meu bravo capitão.

– Qual? – perguntou Nicholl.

– Que perca suas duas outras apostas! Assim, teremos certeza de não ficar no meio do caminho.

Fogo!

O primeiro dia de dezembro chegou, dia fatal, pois, se a partida do projétil não se realizasse naquela mesma noite, às dez horas, quarenta e seis minutos e quarenta segundos, mais de dezoito anos se passariam antes que a lua se apresentasse em idênticas condições simultâneas de zênite e perigeu.

O tempo estava magnífico; malgrado a aproximação do inverno, o sol resplandecia e banhava com seus radiosos eflúvios essa Terra que três de seus habitantes iriam trocar por um mundo novo.

Quanta gente dormiu mal na noite que precedeu esse dia tão impacientemente esperado! Quantos peitos oprimidos pelo pesado fardo da espera! Todos os corações palpitavam de inquietação, salvo o de Michel Ardan. Esse homem impassível ia e vinha com sua pressa habitual, mas nada nele denunciava preocupação insólita. Seu sono tinha sido tranquilo, o sono de Turenne[43] antes da batalha, deitado na carreta de um canhão.

43 Marechal francês do século XVII que faleceu atingido por um tiro de canhão. (N.O.)

Desde o amanhecer, uma turba inumerável atulhava as pradarias que se estendiam a perder de vista em volta da Colina das Pedras. A cada quarto de hora, a ferrovia de Tampa despejava novos curiosos. Era uma verdadeira imigração, que tomou logo proporções fabulosas: segundo o jornal *Tampa-Town Observer*, durante esse dia memorável, cinco milhões de espectadores calcaram o solo da Flórida.

Há um mês, a maior parte da multidão acampava em torno do recinto e lançava os alicerces de uma cidade que depois se chamou Ardan-Town. Barracas, cabanas, choças e tendas cobriam a planície – habitações efêmeras de uma população numerosa o bastante para fazer inveja às maiores cidades da Europa.

Todos os povos da Terra tinham aí seus representantes; todos os dialetos do mundo eram aí falados ao mesmo tempo, lembrando a confusão das línguas nos tempos bíblicos da Torre de Babel. As diferentes classes da sociedade americana se confundiam em uma igualdade absoluta. Banqueiros, lavradores, marinheiros, despachantes, corretores, plantadores de algodão, negociantes, barqueiros, magistrados, todos se acotovelavam com uma sem-cerimônia primitiva. Os negros da Luisiana confraternizavam com os agricultores de Indiana; os cavalheiros de Kentucky e do Tennessee, bem como os virginianos elegantes e orgulhosos, conversavam com os caçadores meio selvagens dos Lagos e com os vaqueiros de Cincinnati. Cobertos com o chapéu de castor branco de bordas largas ou com o panamá clássico, vestidos com calças de brim azul das fábricas de Opelousas, ostentando camisas elegantes de algodão cru, calçados com botas de cores vivas, exibiam golas bufantes de cambraia e, no pescoço, nos punhos, nas gravatas, nos dez dedos e mesmo nas orelhas, um sortimento completo de anéis, alfinetes, brilhantes, colares, brincos e berloques cujo alto preço igualava o mau gosto. Mulheres, crianças e criados, em trajes não menos opulentos, acompanhavam, seguiam, precediam, rodeavam maridos, pais e patrões que pareciam caciques no meio de suas famílias numerosas.

Na hora das refeições, era de ver todo aquele mundo se precipitar sobre os pratos típicos dos Estados do Sul com um apetite ameaçador para o abastecimento da Flórida, pratos que repugnariam a um estômago europeu: rãs fritas, macacos recheados, *fish-chowder*[44], gambá assado ou malpassado e guaxinim na grelha.

E que variedade de bebidas vinha em socorro dessa alimentação indigesta! Quantos gritos excitados, vociferações convidativas nos bares ou nas tavernas abarrotadas de garrafas, copos, taças, garrafões, frascos de formas inverossímeis, pilões para triturar o açúcar e feixes de palha!

– Olhe o coquetel de hortelã! – gritava o dono de um bar, com voz retumbante.

– Olhe a sangria com vinho de Bordeaux! – replicava outro, em tom aliciante.

– Olhe o *gin-sling*! – oferecia um.

– Olhe o *brandy-smash*! – esgoelava outro.

– Quem quer saborear o verdadeiro *mint-julep* à última moda? – convidavam esses hábeis comerciantes, fazendo passar rapidamente de um copo a outro, como um prestidigitador e sua bolinha, o açúcar, o limão, a hortelã verde, o açúcar triturado, a água, o conhaque e o abacaxi fresco, que compõem a tal bebida refrescante.

Habitualmente, essas incitações endereçadas às gargantas ressequidas pela ação abrasadora dos temperos se repetiam, se cruzavam no ar e produziam um barulho infernal. Mas nesse dia, primeiro de dezembro, os gritos eram raros. Os donos dos bares teriam berrado em vão para chamar os fregueses. Quem visse os pinos de boliche caídos, os dados do crepe dormindo em seu copo, a roleta imóvel, o *cribbage* abandonado, as cartas do *whist*, do vinte e um, do vermelho e preto, do rouba-monte e do faro tranquilamente guardadas em suas embalagens compreenderia que o acontecimento do dia sufocava qualquer outra necessidade, não deixando lugar a nenhuma distração.

44 Peixada. (N.O.)

Até a noite, uma agitação surda, sem clamores, como a que precede as grandes catástrofes, correu pela turba ansiosa. Reinavam nos espíritos um mal-estar indescritível, um torpor penoso, um sentimento indefinível que oprimia o coração. Cada qual queria que tudo "já tivesse acabado".

No entanto, por volta das sete horas, esse pesado silêncio se dissipou bruscamente. A lua se ergueu no horizonte e milhões de hurras saudaram sua aparição. Ela chegava pontualmente ao encontro. Os clamores subiram até o céu; os aplausos retumbaram de todos os lados, enquanto a loura Febe brilhava pacificamente num firmamento admirável e acariciava, com seus raios mais afetuosos, a multidão embriagada.

Nesse momento, surgiram os três intrépidos viajantes. Os gritos redobraram de intensidade. Unanimemente, instantaneamente, o hino nacional dos Estados Unidos escapou de todos os peitos anelantes e, repetido em coro por cinco milhões de executantes, elevou-se como uma tempestade sonora até os derradeiros limites da atmosfera.

Após esse ímpeto irresistível, as últimas harmonias foram se extinguindo pouco a pouco, o hino silenciou, o barulho arrefeceu e um rumor surdo flutuou por cima da multidão profundamente comovida. Enquanto isso, o francês e os dois americanos haviam franqueado a cerca em torno da qual se apinhava a imensa turba. Vinham acompanhados pelos membros do Gun Club e das delegações enviadas pelos observatórios europeus. Barbicane, frio e calmo, dava tranquilamente suas últimas ordens. Nicholl, de lábios cerrados e mãos cruzadas às costas, marchava a passo firme e contido. Michel Ardan, sempre à vontade, vestido como um perfeito viajante, polainas de couro nos pés, bolsa a tiracolo, flutuava dentro de suas vastas roupas de veludo marrom, de charuto na boca, distribuindo à sua passagem calorosos apertos de mão com uma prodigalidade principesca. Mostrava-se incansável no entusiasmo, na alegria, rindo, pilheriando, brincando com o sério J.-T. Maston – em uma palavra, "francês" e, o que é pior, "parisiense" até o último segundo.

Soaram as dez horas. Chegara o momento de embarcar no projétil; a manobra de descida, a tampa a ser aparafusada, a retirada dos guindastes e andaimes inclinados sobre a boca da Columbiad exigiram certo tempo.

Barbicane havia acertado seu cronômetro em um décimo de segundo com o do engenheiro Murchison, encarregado de pôr fogo na pólvora por meio da faísca elétrica; os viajantes, encerrados no projétil, poderiam assim seguir com o olhar o ponteiro impassível que marcaria o instante exato da partida.

Chegara o momento do adeus. A cena foi tocante. A despeito de sua jovialidade febril, Michel Ardan não conseguia esconder a emoção. J.-T. Maston encontrou sob suas pálpebras secas uma antiga lágrima, que sem dúvida havia reservado para essa ocasião. Verteu-a sobre a fronte de seu querido e bravo presidente.

– E se eu fosse também? Ainda é tempo...

– Impossível, meu velho Maston – cortou logo Barbicane.

Instantes depois, os três companheiros de viagem estavam instalados no projétil, cuja tampa interna já haviam aparafusado, e a boca da Columbiad, inteiramente desimpedida, abria-se toda para o céu.

Nicholl, Barbicane e Michel Ardan se achavam definitivamente emparedados dentro de seu vagão de metal.

Quem poderia descrever a emoção geral, que chegara ao paroxismo?

A lua avançava por um firmamento de límpida pureza, extinguindo ao passar os fogos cintilantes das estrelas; percorria agora a constelação de Gêmeos, estava quase a meio caminho entre o horizonte e o zênite. Todos deviam então compreender que a mira do canhão visava à frente do alvo, como o caçador que faz pontaria à frente da lebre que quer atingir.

Um silêncio amedrontador pairava sobre a cena. Nem um sopro de vento varria a Terra! Nem um alento dilatava os peitos! Os corações não ousavam bater. Todos os olhares esgazeados se fixavam na boca hiante da Columbiad.

Murchison acompanhava atentamente a marcha do ponteiro de seu cronômetro. Faltavam apenas quarenta segundos para soar o instante da partida – e cada segundo parecia durar um século.

Faltando vinte, um frêmito percorreu a multidão. Ocorreu-lhe que os audaciosos viajantes, fechados no projétil, também contavam esses terríveis segundos! Gritos isolados escaparam:

– Trinta e cinco! Trinta e seis! Trinta e sete! Trinta e oito! Trinta e nove! Quarenta! Fogo!

Imediatamente Murchison, pressionando com o dedo o interruptor do aparelho, restabeleceu a corrente e lançou a faísca elétrica ao fundo da Columbiad.

Uma detonação espantosa, inaudita, sobre-humana, da qual ninguém saberia dar uma ideia, pois não se parecia nem com os clarões dos relâmpagos nem com o estrondo das erupções, produziu-se instantaneamente. Uma imensa coluna de fogo brotou das entranhas do solo, como de uma cratera. A terra estremeceu e só algumas pessoas conseguiram entrever por uma fração de segundo o projétil que fendia vitoriosamente o ar, em meio a vapores inflamados.

Céu encoberto

No momento em que se projetou para o céu a uma altura prodigiosa, a coluna de fogo iluminou com suas chamas a Flórida inteira e, por um instante fugaz, o dia substituiu a noite em considerável extensão do país. O imenso penacho de fogo foi visto a 150 quilômetros no Mar do Golfo e no Atlântico, e mais de um capitão de navio anotou em seu diário de bordo a aparição daquele meteoro gigantesco.

À detonação da Columbiad, seguiu-se um verdadeiro terremoto. A Flórida foi sacudida até as entranhas. Os gases da pólvora, dilatados pelo calor, repeliram com incrível violência as camadas atmosféricas, e esse furacão artificial, cem vezes mais rápido que o das tempestades, atravessou os ares como um ciclone.

Nenhum espectador permaneceu de pé; homens, mulheres, crianças, todos se dobraram como espigas ao vento; houve um tumulto indescritível, um grande número de pessoas feridas. J.-T. Maston, que, desafiando a prudência, tinha ficado muito na frente, viu-se arremessado quarenta metros para trás e passou como uma bala sobre a cabeça de seus concidadãos. Trezentas mil pessoas ficaram momentaneamente surdas e paralisadas de estupor.

A corrente atmosférica, depois de derrubar as barracas, destruir as cabanas, arrancar as árvores pela raiz num raio de trinta quilômetros e empurrar os trens até Tampa, caiu sobre essa cidade como uma avalanche e arrasou uma centena de construções, entre elas a Igreja de Santa Maria e o novo edifício da bolsa, que sofreu rachaduras em toda a extensão. Alguns barcos, no porto, se entrechocaram e foram a pique, enquanto uma dezena de navios ancorados deram à costa após romper suas correntes como se fossem fios de algodão.

Mas o círculo das devastações se estendeu para mais longe ainda, além das fronteiras dos Estados Unidos. O efeito do choque, ampliado pelos ventos do Oeste, foi sentido no Atlântico a quase quinhentos quilômetros da costa americana. Uma tempestade artificial, inesperada, que nem o almirante Fitz-Roy poderia ter previsto, se lançou sobre os navios com violência inaudita; muitos, apanhados nesses turbilhões assustadores, soçobraram sem ter tido tempo de recolher as velas, entre eles o *Childe-Harold*, de Liverpool, lamentável catástrofe que foi, na Inglaterra, objeto de tremendas recriminações.

Enfim, para não dizer mais (e com base apenas nas afirmações de alguns nativos, é verdade), meia hora depois da partida do projétil, habitantes de Goreia e da Serra Leoa afirmaram ter ouvido um barulho surdo, último deslocamento das ondas sonoras que, após atravessar o Atlântico, foram morrer na costa africana.

Mas voltemos à Flórida. Passado o primeiro instante de tumulto, os feridos, os surdos, enfim, a multidão toda voltou a si e gritos frenéticos de "Hurra para Ardan! Hurra para Barbicane! Hurra para Nicholl!" subiram até o céu. Milhões de homens, com o nariz para o ar, armados de telescópios, de lunetas, de binóculos, interrogavam o espaço, esquecendo as contusões e a emoção para só se preocupar com o projétil. Mas procuravam em vão. Já não era possível avistá-lo e seria preciso aguardar os telegramas de Long's-Peak. O diretor do Observatório de Cambridge, senhor Belfast, estava em seu posto nas Montanhas Rochosas, pois a ele, astrônomo hábil e obstinado, é que haviam sido confiadas as observações.

Contudo, um fenômeno imprevisto, embora fácil de prever e contra o qual nada podia ser feito, logo veio impor à impaciência pública uma rude prova.

O tempo, tão bom até então, mudou de súbito e o céu se cobriu de nuvens. Acaso seria diferente, após o terrível deslocamento das camadas atmosféricas e da dispersão da enorme quantidade de vapores oriundos da deflagração de 180 mil quilos de piróxilo? A ordem natural fora perturbada, e isso não deveria espantar ninguém, pois, nos combates marítimos, frequentemente se viu a condição atmosférica mudar por completo devido às descargas de artilharia.

Na manhã seguinte, o sol emergiu de um horizonte carregado de nuvens espessas, uma pesada e impenetrável cortina descida do céu sobre a Terra e que, infelizmente, se estendia até a região das Montanhas Rochosas. Pura fatalidade. Um concerto de reclamações ecoou em todas as partes do globo. Mas a natureza não se incomodou, e com justiça: se os homens haviam conflagrado a atmosfera com sua detonação, deviam sofrer as consequências.

Durante esse primeiro dia, todos tentavam devassar o véu opaco das nuvens, mas sem sucesso e lançando equivocadamente os olhares para o céu, uma vez que, devido ao movimento diurno do globo, o projétil agora devia estar percorrendo a linha dos antípodas.

Fosse como fosse, quando a noite envolveu a Terra, noite impenetrável e profunda, não foi possível perceber a lua emergindo do horizonte; era como se o astro se furtasse de propósito aos olhares dos temerários que haviam atirado contra ele. Portanto, nada de observações – e os telegramas de Long's-Peak confirmaram esse desagradável contratempo.

Todavia, se a experiência tivesse dado certo, os viajantes, partindo em primeiro de dezembro às dez horas, quarenta e seis minutos e quarenta segundos da noite, deviam chegar a seu destino à meia-noite do dia 4. Assim, até lá, dado que não seria nada fácil detectar naquelas condições um corpo tão pequeno quanto o obus, as pessoas resolveram ter paciência sem reclamar demais.

Em 4 de dezembro, das oito horas até a meia-noite, teria sido possível seguir a trilha do projétil, que apareceria como um ponto negro sobre o disco brilhante da lua. Mas o céu continuava implacavelmente encoberto, o que levou ao paroxismo a exasperação pública. Alguns chegaram a injuriar a lua, que teimava em não se mostrar. Fraca compensação para as mazelas deste mundo!

J.-T. Maston, desesperado, partiu para Long's-Peak. Queria observar pessoalmente e não punha em dúvida que seus amigos tivessem chegado ao termo da viagem. Pelo que se sabia, o projétil não caíra em nenhuma ilha ou continente terrestre, e J.-T. Maston não admitia por um instante sequer uma queda possível nos oceanos, que cobrem três quartos do globo.

No dia 5, o mesmo céu sombrio. Os grandes telescópios do Velho Mundo – de Herschell, de Rosse, de Foucault – estavam o tempo todo voltados para o astro das noites, pois o tempo era magnífico na Europa. Mas a fraqueza relativa desses instrumentos impedia toda observação útil.

No dia 6, nenhuma mudança. A impaciência afligia três quartos do globo. Propuseram-se os meios mais absurdos para dissipar as nuvens acumuladas no ar.

No dia 7, o céu pareceu se desanuviar um pouco. Renasceu a esperança, que não durou muito: à noite, nuvens espessas voltaram a proteger a abóbada estrelada de todos os olhares.

A situação era grave. Com efeito, no dia 11, às nove horas e onze minutos da manhã, a lua entraria em seu último quarto. Depois disso, iria declinando e, mesmo com céu sereno, as chances de observação diminuiriam muito. A lua só mostraria então uma parte cada vez menor de seu disco e entraria na fase nova, isto é, se poria e se levantaria com o sol, cujos raios a tornariam totalmente invisível. Seria preciso então esperar até 3 de janeiro, ao meio-dia e quarenta e quatro minutos, para que ela voltasse à fase cheia e permitisse a retomada das observações.

Os jornais publicavam essas reflexões com mil comentários e não dissimulavam ao público que ele devia se armar de uma paciência angélica.

No dia 8, nada. No dia 9, o sol reapareceu por um instante, como que para escarnecer dos americanos. Foi vaiado e, sem dúvida enraivecido com essa acolhida, mostrou-se tremendamente avaro de seus raios.

No dia 10, nenhuma mudança. J.-T. Maston quase enlouqueceu e muita gente chegou a temer pelo cérebro desse digno homem, tão bem conservado até então sob seu crânio de guta-percha.

Mas, no dia 11, uma dessas espantosas tempestades das regiões intertropicais varreu a atmosfera. Fortes ventos do Leste empurraram as nuvens havia tanto tempo acumuladas e, à noite, o disco meio roído da lua passeou majestosamente em meio às límpidas constelações do céu.

Um novo astro

Nessa mesma noite, a palpitante notícia tão impacientemente aguardada explodiu como um raio nos Estados da União e dali, cruzando o oceano, correu por todos os fios telegráficos do globo. O projétil tinha sido avistado graças ao gigantesco refletor de Long's-Peak!

Eis a nota redigida pelo diretor do Observatório de Cambridge. Ela encerra a conclusão científica dessa grande experiência do Gun Club.

Long's-Peak, 12 de dezembro.

Aos senhores membros da equipe do Observatório de Cambridge.

O projétil lançado da Colina das Pedras pela Columbiad foi visto pelos senhores Belfast e J.-T. Maston no dia 12 de dezembro às oito horas e quarenta e sete minutos da noite, com a lua em seu último quarto.

Esse projétil não atingiu o alvo. Passou ao largo, perto o suficiente para ser retido pela atração lunar.

Ali, seu movimento retilíneo se transformou em movimento circular de rapidez vertiginosa, seguindo uma órbita elíptica em volta da lua, da qual se tornou um autêntico satélite.

Os elementos desse novo astro não puderam ainda ser determinados. Não se sabe nem sua velocidade de translação nem sua velocidade de rotação. A distância que o separa da superfície da lua foi avaliada em cerca de 4.500 quilômetros.

No momento, duas hipóteses são viáveis e capazes de modificar o atual estado de coisas: ou a atração da lua acabará por prevalecer e os viajantes alcançarão o objetivo de sua viagem ou, permanecendo tal como está, o projétil continuará gravitando em torno do disco lunar até o fim dos tempos.

É o que as informações nos dirão um dia, mas, até agora, a tentativa do Gun Club só teve por resultado prover nosso sistema solar de um novo astro.

– J.-M. Belfast

Quantas perguntas esse desfecho inesperado suscitou! Que situação prenhe de mistérios o futuro reservava às pesquisas da ciência! Graças à coragem e ao devotamento de três homens, a aventura, muito fútil na aparência, de enviar um projétil à lua dera um resultado de enormes proporções e consequências incalculáveis. Os viajantes, presos dentro de um novo satélite, não haviam atingido seu alvo, mas pelo menos faziam parte do mundo lunar; gravitavam em torno do astro das noites e, pela primeira vez, o olho podia penetrar todos os seus mistérios. Os nomes de Nicholl, Barbicane e Michel Ardan seriam doravante celebrados nos fastos astronômicos, pois esses corajosos exploradores, ansiosos por alargar o círculo dos conhecimentos humanos, tinham se lançado audaciosamente pelo espaço e arriscado a vida na mais estranha tentativa dos tempos modernos.

Seja como for, uma vez conhecida a nota de Long's-Peak, houve no mundo inteiro um sentimento de surpresa e espanto. Seria possível ajudar aqueles intemeratos habitantes da Terra? Não, sem dúvida, pois haviam se distanciado da humanidade ao franquear os limites impostos por Deus às criaturas terrestres. Poderiam ter ar durante dois meses. Dispunham de víveres para um ano. Mas... e depois? Os corações mais insensíveis palpitavam a essa pergunta terrível.

Um único homem não quis admitir que a situação fosse desesperada e mostrou confiança: seu amigo devotado, audacioso e resoluto como eles, o bravo J.-T. Maston.

A bem dizer, não os perdia de vista. Sua casa foi, doravante, Long's-Peak; seu horizonte, o espelho do imenso refletor. Quando a lua se erguia no horizonte, ele a enquadrava no campo do telescópio, não deixava de observá-la um instante sequer e seguia-a passo a passo em sua marcha pelos espaços estelares; acompanhava com paciência infinita a passagem do projétil sobre seu disco de prata e, na verdade, permanecia em constante comunicação com seus três amigos, que ainda esperava rever um dia.

– Vamos nos corresponder com eles – dizia a quem o quisesse ouvir – quando as circunstâncias o permitirem. Receberemos notícias deles e eles receberão as nossas! Além disso, conheço-os bem, são homens engenhosos. Levaram para o espaço todos os recursos da arte, da ciência e da indústria. Com isso, podemos fazer o que quisermos. Saibam, pois, que eles sairão dessa enrascada!